小学生 **名家经典** 快乐畅读

四年级下

爷爷的爷爷从哪里来

贾兰坡 著

U0352119

北方联合出版传媒（集团）股份有限公司

辽宁少年儿童出版社

沈阳

图书在版编目（CIP）数据

爷爷的爷爷从哪里来 / 贾兰坡著 . -- 沈阳：辽宁少年儿童出版社，2022.1
ISBN 978-7-5315-8878-8

Ⅰ . ①爷… Ⅱ . ①贾… Ⅲ . ①人类起源—青少年读物
Ⅳ . ① Q981.1-49

中国版本图书馆 CIP 数据核字（2021）第 203704 号

出版发行：北方联合出版传媒（集团）股份有限公司
　　　　　辽宁少年儿童出版社
出 版 人：胡运江
地　　址：沈阳市和平区十一纬路 25 号
邮　　编：110003
发行部电话：024-23284265　23284261
编辑室电话：024-81060398
E-mail:qilinln@163.com
http://www.lnse.com
承 印 厂：长沙鸿发印务实业有限公司

责任编辑：武海山
特约编辑：高洁琳　张淳芮
责任校对：赵　博
封面设计：阿　娅
版式设计：徐辉悬
责任印制：吕国刚

幅面尺寸：787mm×1092 mm　1/16
印　　张：13.5　　　　　　　字　数：270 千字
出版时间：2022 年 1 月第 1 版
印刷时间：2022 年 1 月第 1 次印刷
标准书号：ISBN 978-7-5315-8878-8
定　　价：24.80 元

总序

读书的重要性已经不需要再多说。"读书破万卷，下笔如有神"——博览群书，能让自己的表达有分量，让笔下的文字有力量；"读万卷书，行万里路"——在拥有过人的学识的同时，还要将这些理论联系实际，真正做到学以致用，才算读得了书，达到读书的最终目的。

那我们到底要读些什么书呢？

阅读文学经典是大众历来倡导的一种方式。我们跟随作者，与一个个鲜活的人物相遇，他们的曲折人生似乎也变成了我们的经历，在感同身受的过程中，我们看透历史、领悟人生，也锻造了品行。

但这终究是高于生活的艺术，如果我们对于生活本身都认识不足，又何谈高于生活的领悟呢？对此，科普读物能很好地弥补这一空缺，帮助孩子形成对生活的正确认识，也为孩子理解高于生活的艺术奠基。

本着这样的理念，我们精选这套科普丛书，希望从以下几个方面来帮助孩子成长：

（一）紧扣课本，精选书目

小学阶段的儿童对世界充满好奇心，拥有着强烈的探知欲。本套丛书即从微观世界、人类演化、地球发展、生活常识等多个方面，在新版语文课本要求阅读的书目之中，选取国内和国外经典科普作品的精华来结集成册出版，既满足孩子的好奇心，顺应孩子的心理与认知发展趋势，又贴合目前教育大方向。

（二）专业批注，陪伴阅读

因为积累与认知的有限，小学阶段的孩子在阅读时不容易找到思考方向，思考内容也易浮于表面，欠缺深度。基于此，在本丛书中，我们精心设计"名师批注"和"读书笔记"栏目，做到全程陪伴式阅读。

我们精选文中的精妙语句进行"名师批注"，点明手法，分析表达效果，由浅入深，抽丝剥茧，一步一步地引导孩子深入思考。"读书笔记"是对情节内容提出启发性的问题，让孩子在阅读的过程中，养成思考的习惯，最终将阅读能力转化为表达、写作能力。

（三）激发思考，深层感悟

跟随本丛书，孩子将更加准确、清晰地认识这个世界，但这并不是我们策划出版的最终目的，我们更希望孩子能够在其中锻炼思考的品质，也对生活有更深的感悟。

在本丛书中，不仅蕴含丰富的科学知识，也展现了科学家们不断探索世界的勇气与坚持，这是新中国科学技术从无到有，到如今走在世界前列的动力，也是我们面对未来的底气。这些平凡而又不凡的科学家，是 21 世纪闪耀的明星，能在孩子们的心中留下榜样的种子。

（四）精彩栏目，好学好懂

不论是这些科学知识，还是榜样的精神，阅读的最终目的还是要学以致用，由此我们精心设计了一些有助于读者阅读思考的栏目。

在每章的开篇前，我们设置了"名师导读"栏目，对本章的重点内容做阅读前的指导，然后在结尾以疑问的形式来激发孩子的阅读兴趣，主动探究科学问题；在每章结束后设置有"名师精华赏析""积累与运用""知识大宝藏"等栏目，进行课外知识拓展，联系生活实际，让孩子能运用所学知识解决问题。最后还有"真题演练"栏目，贴合了考点，满足了课内教学需求。

如此丰富的形式与内容，一点一滴都是我们对这套丛书的用心，也是对每一位读者的负责。翻开每一本书，让我们跟随作者去领略他们眼中的世界，也在其中挖掘属于我们的宝藏吧。

编者

阅读小课堂

作者简介

贾兰坡（1908年11月25日—2001年7月8日），出生于河北玉田，考古学家、第四纪地质学家、中国科学院学部委员、美国国家科学院外籍院士、第三世界科学院院士、中国科学院古脊椎动物与古人类研究所研究员。

1931年，贾兰坡正式加入中国地质调查所新生代研究室，成为周口店北京人遗址发掘工作中的一分子。通过自己不断的努力，他从练习生成为技佐，能力也被广泛认可。

1936年11月，周口店遗址发掘成果显著，贾兰坡在这里连续发现了三具"北京人"头盖骨。1949年，贾兰坡主持周口店恢复发掘工作，自此一直坚持在岗位上。2001年，他因病在北京去世，按照他的遗愿，他的遗骨被安葬在周口店龙骨山西侧的半山腰。从那里向外望去，就能够看见他为之奉献了一生的周口店"北京人"头盖骨出土位置。

中国的石器考古学研究是贾兰坡先生从事一生的事业，在周口店遗址的发掘和研究过程中，他也贡献出了自己的一份力量，是应被历史铭记的英雄。

创作背景

本文所选的文章来源于贾兰坡先生平生的论述和他在人生的最后阶段写下的总结。1997年，被严重的眼疾困扰了多年的他，已无法从事科研工作，但他仍然希望将自己的人生故事写下来，让广大青少年了解人类起源的知识，也借此激发青少年对于这门学科的兴趣，让青少年可以成为这一学科未来发展的储备力量。

内容速览

本书内容分为两个部分：第一部分主要选取了贾兰坡先生早期的一些论文，介绍他在研究人类起源的演化过程中所获得的重要成果，以及研究思路的变化；第二部分是贾兰坡先生在人生的最后阶段写下的回忆录，讲述了自己与周口店"北京人"的不解之缘，也在其中向我们揭示了寒门子弟如何成为一代院士的励志故事，鼓励青少年要广泛阅读，深入探究，培养科学研究的兴趣，成为祖国未来发展的中坚力量。

作品特色

在这本科普读物之中，我们不仅可以看到幽默风趣的语言、丰富渊博的知识，还在其中认识了一批为祖国科学发展事业献身的伟大之人。在那样艰难的年代里，他们能沉浸在学术世界里，为科学研究贡献自己的力量，这样鲜明的人物形象，正是现代青少年应当学习的榜样！

第一章

人类起源的演化过程

📏 **名师导读**

　　我们总是忍不住好奇，过去是什么样子的？十年前是什么样子的？二十年前是什么样子的？而有人更加大胆，会好奇人类是何时诞生的。这群人就是可爱的科学家，他们踏遍世界的万里山河，就是为这个问题找出答案。今天我们有幸跟着他们再次踏上旅途，感受人类起源的神奇，一起加入吧！

从"神创论"到认识上的蒙昧时期

　　人很早就想知道自己是怎么来的。由于科学的落后，人们得不到正确的认识，就认为人是用泥土造的，也就是"神创论"。"神创论"在世界上流传很广，东西方都有这样的神话故事传播。

　　在中国广为流传的神话是盘古开天辟地和女娲抟土造人。古人认为，世界上最初没有万物，后来出现了盘古氏，他用斧头劈开了天地，天一天天加高，地一日日增厚，盘古氏也一天天跟着长大。万年之后，就有了天高不可测、地厚不可量的世界，盘古氏也成了顶天立地的巨人，支撑着天与地。

　　他死后化成了太阳、月亮、星星、山岳、河流和

名师批注

背景介绍——对于人类的起源，人类自己也十分好奇，由此才有无数学者去研究这个问题。作者也顺应潮流，向我们介绍了人类的起源，交代了文章的主要内容，并且引出了下文的论述。

读书笔记

古今中外关于神创造人的说法，你知道哪些？

草木。天地星辰、山川草木、虫鱼鸟兽出现了，只是世界上还没有人。这时女娲出现了，她取来土和水，捣成泥球，捏成人，从此世上就有了人。

读书笔记 ·················
为什么当时的人们会认为人类是由泥土做的呢？

在国外的神话中，也有相似的说法。在埃及的传说中，人是由鹿面人身的神哈奴姆用泥土塑造成的，并与女神赫脱一起，给了这些泥人生命。在古希腊的神话中，普罗米修斯用泥土捏出了动物和人，又从天上偷来火种交给了人类，并教会了人类生存技能。

随着人类社会的不断发展，神话传说被宗教利用，成为宗教的经典，并撰成教义，更加在社会中广为流传。关于"上帝造人"，犹太教《旧约全书》的《创世记》中，说上帝花了六天时间创造了世界和人类：第一天创造了光，分了昼夜；第二天创造了空气，分了天地；第三天创造了陆地、海洋和各种植物；第四天创造了日月星辰，分管时令节气和岁月；第五天创造了水下和陆上的各种动物；第六天创造了男人和女人及五谷、牲畜；第七天上帝感到累了，就休息了。

在基督教《圣经》中的"创世说"中说耶和华上帝创造了天地之后，世界仍一片荒芜，于是他降甘露于大地，长出了草木。耶和华用泥捏了一个人，取名"亚当"，造了一个伊甸园，把亚当安置在里面。伊甸园中有各种花木，长着美味的果实。后来耶和华上帝感到亚当一个人很寂寞，就在亚当熟睡之时，抽出他的一根肋骨造了一个女人，取名"夏娃"。上帝把各种飞禽走兽送到他们跟前，让他们命名。后来，夏娃偷吃了禁果，上帝把亚当、夏娃逐出伊甸园。随后发动一场洪水以示对世间罪恶的惩罚。诺亚造了一条方舟，来拯救世间无辜的生灵。

不管是女娲抟土造人，还是上帝造人，这些神话传说都并非出于偶然，而是人们很想了解和知道自己是怎么来的，由于不得其解，这才造出了"神创论"。

我的童年是在农村度过的。逮蝈蝈儿、掏蛐蛐儿、捉鸟儿、拍黄土盖房是我们那个时代儿童最普遍的游戏。每逢我玩后回家，母亲都要为我冲洗，有时一天两三遍。母亲边搓边唠叨："要不怎么说人是用土捏的呢！无论怎么搓，都能搓下泥来。"我6岁时到离我家不远的外祖母家读私塾，也常听老师和外祖母这样说。可见"人是泥捏的"这个传说流传得多广、多深了。

何时出现的传说，不得而知，想来在有文字之前就已经开始了。而与"神创论"唱反调的还得说是中国的学者。远在2000多年前，我国春秋时代的管仲在《管子·水地篇》中说："水者何也？万物之本原也，诸生之宗室也。"意思是说：水是万物的根本，所有的生物都来自水。他的这句话说出了生命的起源。

战国时代的伟大诗人屈原在诗歌《天问》中，对自然现象、神话传说，一口气提出了一百多个问题，对女娲抟土造人也提出了质疑："女娲有体，孰制匠之？"意思是说：女娲氏既然也有身体，又是谁造的呢？

最使人惊奇的是山东省微山县出土的东汉时期的"鱼、猿、人"的石刻画。原石横长1.86米，纵高0.85米（现藏于曲阜孔庙），作者不知是谁。在原石的左半部，从右向左并排着鱼、猿、人的刻像，让人看

读书笔记 ·················
你认为人类的起源是什么？请大胆猜测，并且分享你的看法。

名师批注

交代背景——作者成长于农村，母亲都知道人是女娲用土捏的，可见这种传说的传播之广，为下文埋下伏笔。

名师批注

引用——我国古代虽然流行"神创论"，但是也出现了不同的看法，管仲等人就认为人类起源于水，这种说法如今已经得到了证实，可见他们的先见之明。

名师批注

疑问——屈原发现了女娲造人传说的漏洞，并对此提出疑问，面对人人相信的传说，屈原能够冷静理智地思考，并且大胆发问，这是他的难得之处呀！

读书笔记 ••••••••••
请从比喻的角度赏析这个句子。

了之后，很自然地会想到"从鱼到人"的进化过程。

18 世纪的法国博物学家乔治·布封虽然也曾指出生命首先诞生于海洋，以后才发展到了陆地——生物在环境条件的影响下会发生变化，器官在不同的使用程度上也会发生变化的科学论证，但是并没有指出从鱼到人的演化关系。

指出从鱼到人的演化关系并发表名著的是美国古脊椎动物学家威廉·格雷戈里。1929 年他发表的《从鱼到人》，把人的面貌和构造与猿、猴等哺乳类、爬行类、两栖类动物相比较，把人的面形一直追溯到鱼类。在当时，由于获得的材料有限，在演化过程中缺少的环节太多，有人嫌他的说法不充分，甚至指责他的某些看法是错误的。把从鱼演化到人的一枝一节都串联起来，谈何容易，你知道演化经过了多少时间吗？鱼类的出现，从地质时代的泥盆纪起，到现在已有 3.7 亿年了，这是多么漫长的时间啊！

能够说明演化过程的资料，并非是虚构的，而是来自地下。地层内就是一部巨大的"书"，它包罗万象。有许多许多东西是由地下取得的，就拿脊椎动物化石来说吧，它其实也就是老百姓经常说的"龙骨"。它们绝大多数是哺乳动物的骨骼，由于在地下埋藏的时间较长，得以钙化。但是要成为化石，还要有一定的条件。首先，包括人在内的动物死亡后，能尽快地被埋藏起来，使其不暴露，然后，经过风吹雨淋，久而久之即可成为化石——我们所要研究的材料。

虽然许多人将脊椎动物的骨骼叫作"龙骨"，但从来也没人见过想象中的"龙"。我跑遍除西藏之外的很多省份也找不到"龙"的蛛丝马迹。所谓的"恐龙"，原意为巨大的爬行动物，像蜥蜴之类，原是日本学者用的译名，我们也就随之使用了。

除了化石形成的条件外，还要能发现它们，直到把它们一点一点地发掘出来，也不是一件很容易的事，其中有很高的技术含量。从发掘到修理，使之完整地再现于人们眼前，再加上翻制模型，工作人员都必须有很高超的技术。

"人类起源"科学来之不易

"人类起源"，也有人称为"从猿到人"，或"人之由来"，等等。其实都是一个意思：人类是怎样一步一步演化成今天这个样子的。

有关人类起源的知识得来很不容易。许多真正的学者对这门学科的研究从不松懈，也不怕别人谩骂和非议，一代接一代不屈不挠地进行着。直到目前，仍有许许多多的问题需要由后来人接着研究下去。但越来越多的人赞同人是从猿演化而来的说法了，这是最大的胜利。

下面我先谈谈这门学科的历史，你就可以知道它的来之不易了。人类起源的研究历史是很晚的事，至今不到200年。

在欧洲中世纪，宗教和神学思想统治了很长的时间，许多科学观点被扼杀。直到文艺复兴运动的兴起，人们的思想、感情得到了大解放，出现了一大批思想家、文学家和科学家，完成了很多科学发现。在人类起源问题上，1859年，英国生物学家查尔斯·达尔文发表了《物种起源》一书，提出了生物进化理论。在达尔文的启示下，英国博物学家托马斯·赫胥黎在 1863 年发表了《人类在自然界中的地位》，提出了"人猿同祖论"。

1871 年，达尔文又发表了《人类的由来及性选择》，论证了人类也是进化的产物，是通过能增强其生存和繁殖的变异，并遗传给下一代的自然选择——从古猿进化而来的。这是世界科学史上划时代的贡献。尽管如此，由于证据不足，当时所有进化论者都很苦恼。因为他们不能用真凭实证来说服人。但他们的论点为寻找人类起源的证物——人类化石，指明了方向。

1806 年，丹麦的一个委员会决定在他们国内进行历史、自然史和地质学的研究，首先被研究的是丹麦没有历史记载的"巨石文化"（古代坟墓的标志）、贝丘（古代人在海边采集贝肉为食，堆在一起的贝壳，内中掺有文化遗物）中的许多石器制品。人们认为传说中的故事对真正的历史事实是毫无帮助的。但在工作期间，被发现的史前（有记载以前的历史）的工具越来越多，因而一个新的委员会要求对这些材料进行仔细的研究。

1816～1865 年，汤姆森在哥本哈根任丹麦皇家古物博物馆（即今天的自然博物馆）馆长，又进一步安排、策划，组织人力对发现物进行分类研究，并根据文化性质编年，建立了石器时代、青铜器时代和铁器时代的顺序。虽然由于材料的限制，在当时的情况下，研究的成果不可能达到确凿无误，但是他们所做的科学项目和内容，也可以说是研究人类起源的

读书笔记
根据达尔文的理论，你想一想自己分别遗传了父母的哪些特点呢？

名师批注
议论——因为证据的缺乏，达尔文的观点并不能令人信服，但是它依旧有着自己最独特的意义。

读书笔记
请在世界地图中找出丹麦，并且说一说为什么在丹麦要研究贝丘？

读书笔记
馆长对发现物进行更加细致的研究，最终使人们对于人类起源的问题有了更加清晰的认知，从中你懂得了什么？

开端。

1856 年 8 月间，在德国杜塞尔多夫以东霍克多尔附近的尼安德特山谷发现了具有原始性质的人类化石。那里是石灰岩地区，工人们采石烧灰，在石灰岩地区内有个山洞，工人们在洞被破坏前见到了一副骨架，附近既无石制的工具，也没有其他哺乳动物的骨骼化石。石灰窑的负责人虽然不是内行，但对这具不完全的骨架感到非常奇怪，特别是保留下来的头盖骨，既不像人的，也不像其他动物的。因而骨架得以保存下来，交给了当地的一名医生。这名医生也不能肯定这是人类的骨架，又将骨架送到波恩大学，请教授沙夫豪森鉴定。

沙夫豪森认为这副骨架骨骼粗大，头骨前额低平，眉脊粗壮，是欧洲早期居民中最古老的人。赫胥黎见到头骨模型后，也认为这是最像猿的人类头骨。后来这具骨架被辗转送到爱尔兰高韦皇后学院的地质学教授威廉·金手中，经他研究，认为在尼安德特山谷发现的这具骨架化石是已经绝种的古代人类遗骸，并于 1864 年按动植物的国际命名法为它取了个拉丁语化的名称，叫"Homo neanderthalensis"（King，1864）。我国译为"尼安德特人"。这是双名法命名。后来业内种类越分越细，普遍改为三名法命名，后面的字是形容词。整整过了 100 年，坎贝尔才又给它改了一个三名法的名字，叫"Homo sapiens neanderthalensis"（Campbell，1964）。一般仍叫"尼安德特人"，简称"尼人"。

尼安德特人化石的发现，引起了很大的争议，很

名师批注

描写——古老的人类与现代人类在骨骼方面是有区别的，在其中我们也能够发现人类进化的规律。

名师批注

对比——随着历史的进步，人类对于自身起源的认识越来越深刻，也发现了很多能够证明这些结论的物品，甚至需要更改命名法，可见科学家们付出了多少努力。

多人持怀疑和反对的态度，这是因为当时没有更多的证据。1886年，比利时的斯庇也发现了尼人的骨骼化石及其他哺乳动物化石，这次发现的头骨和尼安德特山谷发现的头骨特征相同，有关尼人的争议才渐渐平息。同时达尔文的进化论也渐渐被人所接受。

尼人是介于直立人与现代人之间的人类，被称为"早期智人"，年代为10万年～3.5万年前。之后又发现了比尼人进步的晚期智人——克罗马农人，年代为3.5万年～1万年前。尽管在19世纪中叶有大量的古人类化石被发现，达尔文的进化论日渐深入人心，但人们仍不能接受"人猿同祖"和"从猿到人"的进化观念。这是因为没有找到从猿过渡到直立人这个阶段的化石，有些学者以证据不足来对抗进化论。

正当欧洲关于人类起源的争议非常激烈的时候，尤金·杜布瓦在荷兰降生了，那年是1858年。杜布瓦长大后进了医学院，毕业以后当了师范学校的讲师。他对人类起源的问题着了迷。29岁时，杜布瓦开始着手解决人类起源问题。他把想法告诉了一些同事和朋友，遭到同事和朋友的反对，有人还说他得了精神病。但杜布瓦没有气馁，经过努力，他作为一名随队军医被派往当时由荷兰统治的苏门答腊（现属印度尼西亚），想在那里寻找更原始的古人类化石。功夫不负有心人，1890年他在中爪哇的克东布鲁布斯发现了一件下颌骨残片；1891年又在东爪哇特里尼尔附近发现了一个头盖骨；1892年在发现头盖骨的附近发现了一个大腿骨。杜布瓦十分高兴，在给欧洲友人的电报中，他称这是"达尔文的缺环"。

名师批注

分类别——早期智人和晚期智人的发现，更加佐证了"从猿到人"的进化过程，这是毫无争议的。

读书笔记

结合时代背景说一说，为什么杜布瓦的同事和朋友会反对他研究人类起源问题？

名师批注

叙述——在杜布瓦的努力下，他有了惊人的发现，并且这足以证明关于人类起源的理论是正确的，这一个是伟大的发现。

正当杜布瓦还在高兴之时，他还没来得及把化石向同行们展示，就成了争论的焦点，有人嘲笑他，有人谩骂他，而教会更是不容忍他。在各方面的围攻之下，杜布瓦把这些珍贵的人类化石锁在了家乡博物馆的保险柜里，一锁就是28年。

杜布瓦发现了人类化石后，曾于1892年给它取了拉丁语化的名字"直立人猿"（Anthropithecus erectus），1894年改为"直立猿人"。由于受到教会和各方面的指责和压力，不得已，他承认了他发现的是一种猿类化石。尽管杜布瓦又提出了与自己之前提出的相反的意见，但这种相反的论点并未得到后来人的承认。20世纪30年代，荷兰古人类学家孔尼华在爪哇（现属印度尼西亚）又有了新的发现。为了命名的统一，曾经研究过"北京人"化石的魏敦瑞（Franz Weidenreich，1873—1948）看过在爪哇的发现后，于1940年把杜布瓦发现的人类化石的命名改为"爪哇直立人"。1964年坎贝尔又把命名改为"Homo erectus erectus"，译为"能直立的直立人"，一般译作"标准直立人"。

对于杜布瓦发现的古人类化石，现在我们已经搞清了，是属于更新世早期，距今90万～80万年的直立人，的的确确是人类演化中的重要一环。杜布瓦把他的发现锁了28年之后，在美国纽约自然历史博物馆馆长亨利·奥斯朋的呼吁下，于1923年打开了保险柜，在一些科学讨论会上展示了他的发现。

顺便说一下，亨利·奥斯朋在当时是著名的古人类学家、古脊椎动物学家和石器时代考古学家，生前

名师批注

列数字——整整28年，杜布瓦的发现都要被人曲解、嘲笑，可见当时人们对于他的理论的不赞同。这是令人十分痛心的。

读书笔记

对于杜布瓦的做法，你有怎样的看法？

名师批注

叙述——真理就是真理，经过时间的洗礼，也不会改变它的正确性。杜布瓦的发现最终被人承认，这是人类的进步，也是历史的进步。

出版了大量著作。我在 1931 年参加周口店"北京人"遗址发掘工作的时候，还是个什么都不懂的小青年，除了有导师和学长的帮助外，最早读的一本书就是 1885 年英国伦敦麦克米伦公司出版的亨利·福罗尔所著的《哺乳动物骨骼入门》，从中学到了不少关于哺乳动物骨骼的知识；第二本就是奥斯朋所著的，由纽约查尔斯·斯克里布之子书店 1925 年出版的《旧石器时代人类》。这使我对古人类——不论是欧洲的发现，还是欧洲之外的发现——都有了了解；对古人类所使用过的石器也有了进一步的认识。

这两本书现在看来，已有些陈旧，但我仍然把它们好好地保存着，因为是它们把我引入这门学科的大门，使我在以后的工作实践中越来越对这门学科感兴趣，以至于能取得今天的成绩，在这门学科中"长大成人"。当然我更不能忘记师长和同仁对我的帮助和支持。

杜布瓦的发现是人还是猿，当时争议很大，因为没有人能够提供更加令人信服的证据，人们仍然有很多疑惑。20 世纪初，学者们把眼光转向了中国。

"北京人"头盖骨

1915 年，美国学者马修（W.D.Matthew）出版了《气候与进化》一书，书中马修提出了亚洲是人类的发祥地。奥斯朋也认为人类起源地在中亚地区。这种观点还是由一位在北京行医的德国医生哈贝尔引起的。

1903 年，他把从北京中药店里买到的"龙骨"，即一批动物化石带到德国，交给德国古生物学家施罗

名师批注

比拟——使作者进入这门学科的领路人正是这两本书，最终让作者有所成就，可见兴趣的确是最好的老师！而培养兴趣，可以从阅读开始。

名师批注

抒情——书籍让作者认识了这门学科，而学习过程中的师长和同仁也同样给予了他莫大的帮助，他心怀感激。这一份感恩之心，令人感动。

名师批注

背景介绍——世界学者都认为人类发源于亚洲，所以才会迫切地想要来到中国进行研究，为下文的叙述做了铺垫。

塞研究。施罗塞认为其中有一颗像人的牙齿，但不敢确定，就说是类人猿的。因此，他非常鼓励古生物学家到中国来考察。当时中国的一批学者章鸿钊（1877—1951）、丁文江（1887—1936）、翁文灏（1889—1971）等人创办了中国地质调查所，丁文江任所长。他们认为地质调查所的任务不应仅限于矿产调查，还应进行古生物方面的调查和研究。他们聘请美国古生物学家葛利普（Amadeus William Grabau，1870—1946）于1920年来华担任中国地质调查所古生物研究室主任兼北京大学古生物学教授，为中国培养古生物学的人才。

瑞典地质学家、考古学家安特生（J.G.Andersson，1874—1960）也接受了当时的中国政府的聘请，在1914～1924年来华担任农商部矿政顾问，此时的地质调查所也归入了农商部。安特生除担任矿政顾问外，还从事中国新生代地质和化石材料的调查和研究。值得一提的是，1919年北京协和医学院聘请了加拿大医生步达生（Davidson Black，1884—1934）来华担任解剖科主任。他受马修的影响，也对在中国寻找古人类化石极为关注。各方面的因素促成了在北京房山周口店发现"北京人"，使中国的古人类学、旧石器考古学和古脊椎动物学有了突飞猛进的发展。

1918年，安特生在周口店调查地质情况时，首先在周口店之南约2000米处发现了很多鼠类化石。因为石灰窑工人在这个地方采石时发现了很多像鸡骨一样的动物骨骼化石，因此，把这个地方称为"鸡骨山"。

1921年安特生同奥地利古生物学家师丹斯基又到鸡骨山采集化石，经当地工人指点，在鸡骨山以北

名师批注

叙述——中国学者对地质调查也十分重视，所以才会与国外学者合作，寻找化石。

读书笔记

请总结一下，有哪些具体因素促成了周口店"北京人"的发现？

名师批注

比喻——将当时发现的化石比作鸡骨，生动形象地展现出了化石形状的特点，让人如同亲眼所见。

2000 米处，找到了更大的化石地点，名叫"龙骨山"，也就是"北京人"遗址。在这个地点，他们发现了许多大型的脊椎动物化石，其中使他们最感兴趣的是他们从未见过的肿骨鹿的头骨和下颌骨等骨骼化石。因为在含化石的地层中有外来的岩石，安特生预感到远古的人类很可能在这里居住过。

读书笔记 ·············
为什么安特生会有这样的猜测？

1926 年的夏天，师丹斯基在瑞典乌普萨拉大学的威曼实验室里，整理从周口店采集的化石时，发现了两颗人类的牙齿。他认为是属于人的，就把这个发现公布了。北京协和医学院解剖科主任步达生看了之后也认为是人的，从而对周口店极为关注，并开始与农商部地质调查所所长丁文江和翁文灏联系，准备发掘周口店一地。最初商谈是中国地质调查所与北京协和医学院解剖科共同成立"人类生物学研究所"，由步达生与美国洛克菲勒基金会联系资助，后来丁文江、翁文灏建议把"人类生物学研究所"改为"新生代研究室"，作为中国地质调查所的分支机构。

读书笔记 ·············
这个机构的名字有什么含义呢？

名师批注

叙述——因为共同的信仰与追求，不同国家的学者相聚在中国，开始了对人类起源的研究，这样的合作精神，是最为感人的。

1927 年 2 月，双方以通信方式签订了"中国地质调查所和北京协和医学院关于研究第三纪和第四纪堆积物协议书"。协议书共有四款，大约是从 1928 年开始由洛克菲勒基金会资助 22000 美元，作为到 1929 年 12 月 31 日为止两年的研究专款，中国地质调查所拨款 4000 元补贴这一时期费用；步达生在双方指定的其他专家协助下负责野外工作，两到三名受聘并隶属中国地质调查所的古生物学专家负责与本项目有关的古生物研究工作；一切标本归中国地质调查所所有，在人类材料不能运出中国的前提下，由北京协和医学院保管，以供研究之用；一切研究成果均在《中国古生物志》或中国地质调查所其他刊物以及中国地质学会的出版物上发表。

新生代研究室 1929 年才正式成立，成员有名誉主任丁文江、步达生，顾问德日进（Teilhard de Chardin，1881—1955），副主任杨钟健（1897—1979），周口店野外工作负责人裴文中（1904—1982）。

丁文江也特别关心周口店的发现。由于在周口店发现了人牙化石，他于 1926 年 4 月 20 日在北京崇文门内德国饭店因安特生的荣誉和发现为他举行了一次送别宴会。他请的客人有：斯文赫定、巴尔博（B.Barbaur）、德日进、安特生、翁文灏、葛兰阶、葛利普、金叔初和李四光（1889—1971）等中外地质学学者。菜单也是特制的，上边还印上了一个形似猿人，被称为"北京夫人"（Dame Pékinoise）的头像，所有的客人都在菜单上签了名。

周口店的发掘实际上在 1927 年就开始了。当年地质调查所派地质学家李捷（1894—1977）担任地质师兼事务主任，瑞典古生物学家步林（A.B.Bohlin，1898—1990）负责化石的采集和发掘工作，当时步达生估计整个周口店的发掘工作能在两个月内完成。发掘之后他们才发现这个地点范围之大、埋藏之丰富、问题之复杂大大超过了原来的设想。那一年发掘土方近 3000 立方米，发掘深度近 20 米，获得化石材料近500 箱。在工作结束的前三天，步林还在师丹斯基找到人牙化石的不远处，又找到了一颗人牙化石。

步达生仔细研究了这颗人牙化石，发现它是一个

名师批注

说明——送别宴会的菜单都是如此精致，可见丁文江对这次宴会的重视，以及科学家们对于这次发现的欣喜、自豪。

名师批注

列数字——学者们当年在周口店的收获颇丰，每个人都付出了非常大的努力，值得敬佩。

名师批注

叙述——葛利普称呼它为"北京人",如同朋友之间的称呼,可见他当时的欣喜。

读书笔记 ·············

这个简称与葛利普的爱称是一样的,为什么人们会这样称呼它呢?

名师批注

列数字——这一年,学者们在这里发掘的堆积物面积广大,数量极多,可见人们的研究方向并没有错,十分振奋人心。

成年人的左下第一臼齿,与师丹斯基发现的很相似。为此步达生给它命名为"北京中国人"(Sinanthropus pekinensis),后来我国古脊椎动物学家杨钟健怕国人看了后不容易理解,在"中国"两字之后加了个"猿"字,所以简称为"中国猿人"。葛利普则给它起了一个爱称叫"北京人"。魏敦瑞为研究"北京人"化石花费了很大心血,完成了几部巨著。随着古人类学的不断发展,猿人的名称被"直立人"所取代。1940年才改成"北京直立人"(Homo erectus pekinensis),简称"北京人"。

1928年第一季度过后,周口店的发掘又开始了。这一年李捷离开了周口店,由在慕尼黑大学师从施洛塞攻读古脊椎动物学并获得博士学位的杨钟健接替。杨钟健回国前曾去过瑞典乌普萨拉大学研究过周口店的化石,对这项工作很熟悉,而且他还任中国地质调查所的技师。主持周口店发掘和日常事务工作的是刚刚从北京大学地质系毕业的年方24岁的裴文中。

这一年发掘的堆积物达2800立方米,获得化石500多箱。最令人欣喜的是发现了两件下颌骨:一件是女性的右下颌骨,另一件也是成人的右下颌骨,上边还有三颗完整的牙齿。下颌骨是人类化石中比较珍贵的材料,这使步达生感到非常兴奋,又向美国洛克菲勒基金会争取到了4000美元的追加拨款。

经过两年的正式发掘,大家都感到周口店龙骨山有特别丰富的堆积。要想把它们都挖掘出来,短时期内不可能完成,而且要弄清龙骨山的地质学上的一些问题,还必须全面地了解周口店附近地区以及更广地区的地质状况。这些原因，加速了"新生代研究室"的建立。

"新生代研究室"以更加广泛的综合研究计划来替代将要结束的周口店发掘计划。丁文江、翁文灏、步达生制订了方案、工作进度、资金预算，所需费用都由洛克菲勒基金会提供。1929年4月，当时的中国农矿部正式批准了"新生代研究室"的组织章程，"新生代研究室"正式挂牌了。

1929年步林加入了西北考察团，离开了周口店，杨钟健同德日进到山西、陕西一带进行地质旅行调查，周口店的发掘工作由裴文中主持。裴文中接着上一年往下挖，去掉非常坚硬的第5层的钙板，到第6层时化石明显增多，第7层更是如此，一天之中就能挖到100多个肿骨鹿的下颌骨，而且化石都很完整。在第8、第9层找到了几颗人牙，其中有一颗是齿根很长、齿冠很尖的犬齿，以前没有见到过，这使裴文中干劲倍增。

秋季的发掘从9月底开始，越往下挖，洞穴越窄，裴文中以为到了洞底。突然在北裂隙与主洞相交处向南又伸展出一个小洞。为了探明虚实，裴文中身上拴着绳子亲自下洞去，洞中的化石十分丰富，这使大家又来了精神。这时已到了11月底，冬天已经降临，还经常下着小雪，天气很冷。本来野外工作可以结束了，但见到有这么多的化石，裴文中临时决定再多挖几天。

1929年12月2日下午4时，太阳落山了，大家仍在不停地挖着。在离地面十来米深的小洞里更是什

名师批注

环境描写——发掘现场的环境算得上恶劣，但是学者们依旧坚守在这里，进行挖掘工作，他们的踏实肯干非常值得我们学习。

读书笔记

为什么裴文中会觉得等到第二天时间太长？

名师批注

动作描写——面对这一重大发现，裴文中小心翼翼地保护着头骨，我们的心情也同他一样，既紧张又兴奋！

名师批注

引用——步达生称发现这颗头盖骨为"辉煌顶峰"，可见他见到这颗头盖骨时的激动心情。这是人们等待了漫长时间的收获，怎能不令人激动呢？

么也看不清，只好点燃蜡烛继续挖掘。洞内很小，只能容纳几个人，挖出的渣土还要一筐一筐从洞中往上运。突然一个工人说见到了一个圆东西，裴文中马上下去查看。"是人头骨！"裴文中兴奋地大叫起来。大家见到了朝思暮想的东西，此刻的心情真是难以形容。是马上挖，还是等到第二天早上再挖？

裴文中觉得等到第二天时间太长了，便决定当夜把它挖出来。化石一半在松土中，一半在硬土中。裴文中先将化石周围的孔挖空，再用撬棍轻轻将它撬下来，取到地面上，由于头骨受到震动，有点破碎，但并不影响后来的粘接。为了怕它再破碎，裴文中脱掉外衣，把它包了起来，轻轻地、一步一步地把它捧回住地。附近的老百姓跑来看热闹，见到裴文中这么小心地捧着它，一再问工人："挖到了啥？"工人高兴地答道："是宝贝。"

回到住地，裴文中连夜用火盆将它烘干，包上绵纸，糊上石膏，再用火烘，最后裹上毯子一点一点捆扎好。第二天他派人给翁文灏专程送了信，又给步达生打了电报："顷得一头骨，极完整，颇似人。"步达生接到电报，欣喜之际还有点半信半疑。12月6日裴文中亲自护送，把头骨交到了步达生手中。步达生立即动手修理，当头盖骨露出了真实面目后，步达生高兴得到了发狂的地步。他说这是"周口店发掘工作的辉煌顶峰"。

12月28日，中国地质学会隆重召开特别会议，庆贺周口店发掘工作的突破性胜利，庆祝发现了中国猿人第一个头盖骨。会议由翁文灏主持，裴文中、步达生、杨钟健、德日进分别就发现头盖骨化石的经过以及有关中国猿人头盖骨及地质学研究等问题做了专题报告。与会的有科学界、新闻界等各方面的人士。在中国发现了猿人头盖骨的消息，通过媒体迅速传遍了中国，传遍了世界，它震动了整个世界学术界。贺电、贺信从四面八方飞向当时的北平（1928年北京改称北平，中华人民共和国成立后复称"北京"），这其中就有美国古生物学界泰斗奥斯朋的贺电。在那时刻，中国猿人头盖骨的发现成了北平街谈巷议的新闻。

我是1931年春考进中国地质调查所的，被分配到新生代研究室当练习生。同时进调查所新生代研究室的还有刚从燕京大学毕业的卞美年。同年我们就被派往周口店协助裴文中搞发掘工作。在研究部门里，练习生虽属"先生"行列，但地位是最低的小伙计，买发掘用品，给工人发放工资，登记发掘记录，修理化石，装运化石，陪访问学者到各处查看地质，替他们背标本……总之什么活都得干，但我不觉得苦。只要有点时间我还和工人们一起去挖掘，对挖出来的动物化石，不懂就向工人请教，很快我就喜欢上了发掘工作。而裴文中看到我有不懂的地方，就会耐心赐教，从不拿架子。卞美年一有闲暇，就带着我在龙骨山周围查看地质，不但给我讲解地质构造和地层，还教我如何绘制剖面图，我一直把他看作是我的启蒙老师。从他们那里我学到了很多东西。他们还不时地给我一些有关的书看，当时古人类学和古脊椎动物学刚在中国兴起，国内还没有专门的教科书，书全是英文的，看不懂就向他俩请教，我进步得很快，也越来越爱这

读书笔记 ·················
为什么作者不觉得苦？

名师批注

叙述——在众学者的帮助下，作者作为一个新人，突飞猛进。这些学者都是很可爱的呀！

门学科了。

1934 年，患有先天性心脏病的步达生，因过度疲劳，在办公室内去世。

1935 年，裴文中到法国留学。领导推举我主持周口店的发掘工作，那时我刚刚晋升为"技佐"（相当于助理研究员）。就在这一年，德国犹太人中的著名的古人类学家魏敦瑞来华接替步达生的工作。来华之前，他就认为，周口店发现了头盖骨、下颌骨和许多牙齿，但人体的骨骼很少，是发掘的人不认识的缘故。他来华之后没几天，就到周口店检查工作，之后又接二连三地到周口店勘察地层，并仔细观察工人们挖掘化石的工作，又考了考我关于食肉类动物的腕骨与人的腕骨有什么不同，我详细地做了解答，他很满意。最后他对周口店的工作信服地说："这么细致的工作，不会丢掉重要东西，是可靠的。""这样的方法据我所知，在世界上也是最好的。"

1936 年周口店的发掘任务仍是寻找古人类化石。魏敦瑞来北京一年多了，除了一些人牙外，没见到其他重要的材料，心急如焚。其实我心中更是急得冒火，更使我们担忧的是，美国洛克菲勒基金会只同意再给六个月的经费，如果六个月后仍无新发现，洛克菲勒基金会可能会断绝对周口店的资助，新生代研究室也会散摊。此时，日本的侵华战争正在一步步向华北推进，中国地质调查所也随当时的政府南迁。已担任北平分所所长的杨钟健也为此事担心，三天两头地往周口店跑。他看到大家仍在兢兢业业、勤勤恳恳地工作，才放心了。

读书笔记 •·················
魏敦瑞的猜测是否准确呢？

名师批注
语言描写——魏敦瑞对于中国的发掘工作有着极高的评价，中国学者们的细致可靠令人信服。

名师批注
心理描写——面对现实的压力，学者们也只能尽人事，听天命了。每个人都在努力奋斗，这一切落在杨钟健眼中，是十分令人欣慰的呀！

天无绝人之路。正当我们为找不到古人类化石而一筹莫展的时候，这一年的10月22日上午10点左右，当我们发掘到第8、第9层时，我突然看到两块石头中间，有一个人的下颌骨露了出来，我当时的高兴劲就别提了。我马上趴在现场，小心翼翼地挖了出来。下颌骨已经碎成几块，我们把化石拿回办公室修理、烘干、粘好，第二天送到魏敦瑞手中。他也高兴起来，愁苦了很长时间的脸上有了笑容。

下颌骨的发现给大家带来了很大的鼓舞。11月15日，由于夜间下了场小雪，上午9点才开始工作。干活不久，技工张海泉在临北洞壁由他负责的方格内挖到了一块核桃大小的骨片。我离他很近，问是什么东西，他说："韭菜（碎骨片的意思）。"我拿起一看，不由大吃一惊："这是人头骨！"我们马上把现场用绳子围了起来，只许我和几个技工在圈内挖掘，其余人一概不许进入。我们挖得非常仔细，连豆粒大的碎骨也不让遗落。在这半米多的堆积内发现了很多头盖骨碎片。慢慢地，耳骨、眉骨也露了出来。这是个被砸碎的头盖骨，直到中午才把所有碎头盖骨全都挖了出来。接着又是清理、烘干、修复，把碎片一点一点对粘起来。

读书笔记

请从人物描写的角度赏析这句话。

因为下颌骨的发现，有人断言"新生代研究室要时来运转了"。我们高兴的心情还没平静下来，下午4点15分时，在距上午头盖骨的发现处的下方约半米处，又发现了另一个头盖骨。与上午那个相仿，均裂成了碎片。由于天色已晚，我派六个人守护现场，同时拍电报给北平当局。杨钟健没在家，去了陕西老

名师批注

侧面描写——听到这个消息，魏敦瑞竟然连裤子都穿反了，衬托了他听到消息时的震惊与喜悦。身负重重压力，一朝看见希望，又怎会不让人欣喜呢？

名师批注

神态描写——面对这一重大发现，魏敦瑞此时小心翼翼，可见他对这一发现的珍视，反而有了"近乡情怯"之感。

名师批注

引用——学者们陷入绝境又重获希望，用这句诗形容真是再贴切不过啦！这份幸运不是偶然，而是对学者们真诚付出的最好的回报。

读书笔记 •……………

请从神态描写的角度赏析这个句子。

家。他的夫人听到信息，四处打电话找到了卞美年。卞美年第二天早晨急急忙忙地跑去找魏敦瑞，魏敦瑞还没起床，听到消息后，从床上跳了下来，连裤子都穿反了。他火烧眉毛似的带着夫人、女儿同卞美年一起，由他的朋友开着汽车赶到了周口店。

当我们从柜子里拿出粘好的第一个发现的头盖骨时，魏敦瑞太激动了，手不住地发抖。他不敢用手拿，叫我们把它放在桌上，左看右看，看了个够。午后他又到第二个头盖骨的现场查看发掘情况，由于怕挖坏，挖掘的速度很慢。魏敦瑞只好带着第一个头盖骨返回了北平。第二个头盖骨的所有碎片直到日落西山才搜索完毕。17日我带着第二个头盖骨返回北平，把它交给了魏敦瑞。

真可谓"柳暗花明又一村"。11月25日夜下了一场小雪，26日上午9时，在发现下颌骨的地点之南3米、之下约1米的角砾岩中又找到了一个头盖骨。这个头盖骨比之前两个都完整，连神经大孔的后缘部分和鼻骨上部及眼孔外部都有，完整程度是前所未有的。当我把它交给魏敦瑞时，他竟"啊"了一声，两眼瞪着，发了很长一会儿呆，才缓了过来。

11天之内连续发现了3个头盖骨，1个下颌骨和3颗牙齿的消息，再一次震动了世界学术界，全国乃至全世界各地报纸纷纷登载这一消息。12月19日在中国地质学会北平分会上，魏敦瑞和我做了报告。魏敦瑞说："现在我们非常荣幸，因为中国猿人在最近又有新的发现。10月下旬发现猿人下颌骨一面，并有5颗牙齿保存；11月15日一天内，又发现猿人头盖骨2副及牙齿18颗；26日更发现一个极完整之头盖骨。对于这次伟大之收获，我们不能不归功于贾兰坡君。"

以上说的只是"北京人"化石产地的发现。早在1934年我们也曾在"北京人"遗址附近的山顶洞发现了山顶洞人共七个个体，同时还发现了大量的装饰品。山顶洞人的头骨与现代人的头骨相比，没有什么明显的差异，是属于1.8万年左右的晚期智人化石。

"北京人"头盖骨丢失之谜

有关"北京人"化石丢失之谜，很多的报纸杂志都有过报道，本来与这本小书没有什么关系，可是这件事已经过去半个多世纪了，仍经常有人问起。这说明很多人对丢失"北京人"化石这件事情始终不能忘怀。

1998年，我与其他十三名中国科学院院士一起签名呼吁"让我们继续寻找'北京人'"，北京电视台、中国科学院等单位还共同发起了"世纪末的寻找"活动。所以就此机会，我还想占点篇幅再向读者简单叙说一下丢失的情况。

1937年"七七事变"，日本帝国主义全面侵华战争开始了[①]，不久北平就被日军占领了。由于日美还没有开战，北平协和医学院仍在照常工作。当时所有在周口店发现的"北京人"化石、山顶洞人化石及一些灵长类化石，其中还有一个非常完整的猕猴头骨，都保存在协和医学院B楼解剖科的保险柜里。因为步达

---

① 今"九一八事变"为中国人民抗日战争的起点，"七七事变"标志中国全民族抗战的开始。

名师批注

语言描写——作者的付出得到了人们的认可，这对作者来说，是一笔不小的财富！

名师批注

叙述——"北京人"化石的发现是人类历史上的一座丰碑，它的遗失牵动着无数人的心。为下文做铺垫。

名师批注

背景介绍——战火纷飞中，化石遗失，而后面寻找的过程也是一波三折，实在令人心有不甘。

生和后来接替他的魏敦瑞都在那里办公。

1941年，日美关系越来越紧张，许多美国人及侨民纷纷离开中国。魏敦瑞也决定离开中国去美国纽约自然历史博物馆继续研究"北京人"化石。他走前曾嘱咐他的助手胡承志把所有的"北京人"化石的模型做好，先做新的，后做旧的，时间紧，越早动手越好，还特别叮嘱他说，在适当的时候，把所有的化石装箱，准备运往安全的地方保管。

大约在珍珠港事件前三个星期，魏敦瑞的女秘书希施伯格通知胡承志把化石装箱。胡承志在征得裴文中的同意后，找到解剖科技术员吉延卿开始装箱。

装箱时非常仔细，先把化石用绵纸包好，再用卫生棉和纱布裹上，外边再包一层白软纸放入小木盒内，盒内也垫上卫生棉，然后分门别类装入两只没刷过漆的大木箱内，木箱与木盒、木盒与木盒之间还垫上了瓦楞纸。两只木箱一大一小，装好后，只在木箱上分别注上Case1和Case2的标记，随后送到协和医学院总务处长、美国人博文（Trevor Bowen）的办公室，后来箱子又由博文转运到了F楼4号保险库内。自此，"北京人"化石、山顶洞人化石及一些灵长类化石，其中还有一个极完整的猕猴头骨等全部没有了下落。

据说，珍珠港事件前，原打算把这两箱化石交给美国驻华大使詹森（Janson），托他找人带到美国交给当时中国驻美大使胡适保管，待战后再运回中国。美国大使詹森不敢接收，因为中美双方在成立"新生代研究室"时有协议："不能把所发现的人类化石运往国外。"后来还是当了当时的政府经济部长（1948年任行政院长）的翁文灏写了委托书，詹森才同意接收。装有化石的箱子被送往美国海军陆战队，又由美国海军陆战队运往秦皇岛，准备搭乘美国到秦皇岛接送海军陆战队和侨民的哈里森总统号轮船前往美国。但哈里森总统号轮船在从马尼拉开往秦皇岛途中，正赶上太平洋战争爆发，这艘船被日本击沉于长江口外，所以化石根本没有上船，负责携带这批化石的美国军医威廉·弗利（william Foley）在秦皇岛被日本军俘虏，从此这批世界文化瑰宝就失踪了。

日军占领了协和医学院后，就派了东京帝国大学人类学家长谷部言人和高井冬二两位助教来协和医学院寻找"北京人"化石。当他们打开 B 楼解剖科的保险柜，看到里面装的全是化石模型，才知道"北京人"化石被转移了。日本宪兵队到处搜寻，很多人都受到了连累。从协和医学院总务处长博文，到推车送化石到 F 楼 4 号保险库的工人常文学都被捉进宪兵队进行审讯。裴文中在家中也受到讯问，并暂时被没收了居住证。在那个时期，没有居住证是不能离开北平的，连上街行走都会遇到麻烦。

"北京人"化石丢失后，各大报纸都纷纷报道，消息再一次震惊世界学术界。

尽管日本天皇知道这一消息后，命令日军总司令部负责追查化石的下落，日本军部又派了一名特务，专门到北平、天津、秦皇岛调查此事，但均无结果。从此传说纷纭，谣言四起。

日本投降后，中国政府派代表团寻找被日本侵略者掠去的文物，其中没有"北京人"化石的标本。

名师批注

伏笔——弗利是最后一个接触化石的人，所以当他愿意提供线索时，才会引起人们的重视。

名师批注

叙述——当时的日军为了这批化石，无所不用其极，迫害中国人民，这样的国耻，我们不能忘记。

名师批注

补充说明——日军为了获得化石的消息，竟然限制了裴文中的活动，这样贪婪丑恶的嘴脸实在令人生厌。

读书笔记 ·················

人们自愿出钱出力寻找化石，对于这件事你有什么感触？

读书笔记 ·················

结合上下文说说，作者当时为什么会很激动？

读书笔记 ·················

为什么弗利对于这些细节守口如瓶？

1946 年 5 月 24 日，中国代表团的负责人、中央研究院院士、考古学家李济在给裴文中的信中说："弟在东京找'北京人'前后约五次，结果还是没找到。但帝大所存之周口店石器与骨器已交出，由总部保管。弟离东京时，已将索取手续办理完毕。"

1949 年 4 月 30 日，中国政府代表团团长朱世明向盟军总部递交了一份备忘录，附有一份详细的丢失化石的清单，请盟军对这批重要的科学标本协助进一步查询，仍是没有任何结果。

"北京人"化石的丢失，牵动着各界人士的心，好多人都自愿出钱出力，搜寻各种线索帮助寻找。但是绝大多数的线索没有任何价值。

1980 年 3 月，我从瑞士驻华大使席望南处获悉，他认识当年准备携带"北京人"化石回美国的威廉·弗利博士。他非常愿意给弗利去信，就"北京人"化石丢失这件事叫弗利和我通信互助联系。弗利在给席望南大使的复信中说："请告诉贾兰坡教授，我对于寻找失落已久的标本仍然抱有希望。请他直接和我联系。"

我很激动，因为珍珠港事件爆发后，弗利在天津就成了日本人的俘虏。日本人后来一再声称他们并没把"北京人"化石弄到手，所以弗利就成了最后一个接触这批化石和掌握它们下落线索的关键人物。而多少年来，很多人想方设法来套取弗利有关这方面的"口供"，他对一些关键性的细节始终都守口如瓶。于是，我给弗利写了第一封信，表示愿意更多地了解有关"北京人"化石下落的情况。

1980 年 6 月 15 日，我接到了弗利 5 月 27 日从纽约的来信："你那令人激动的来信收到了。通过我们共同的朋友瑞士大使席望南的介绍，最后处理标本的科学家终于在多年之后和一位曾经受委托安全运送标本的官员相识了。多年来，我一直希望有那么一天，我的目的之一，就是要在我有生之年看到'北京人'化石安全归回北京协和医学院。""我确信它们没有被遗弃，而是被安全细心地保护着以待适当的时候重见天日。"

见了这封信，大家都很激动。瑞士大使对此事非常热心，拟请弗利秋季来华，并为他办理来华的一切手续。无奈因我 9 月份要出访日本，请弗利改期。而弗利以"贾先生推托，恐怕另有难言之隐"多次向美国华人、运通银行高级副总裁邱正爵表示，要他访华，除非由中国国家领导人发出邀请。但后来条件越来越降级，改为由"政府邀请""科学院邀请"，最后由邱正爵做工作，改为由我出面邀请。我对弗利的狂妄态度深感不安，他提出的要求也太过分。

1980 年底，邱正爵访华并与我见了面。他还亲自到天津找到了弗利当年居住过的房子，仔细查看了房子内的情况，发现房子基本上保持着弗利描述的样子。但邱正爵回国后向弗利追问化石是否曾藏在那间房里时，弗利不置可否。邱正爵对弗利的态度也大为不满。

我也曾看过弗利在《71/72 康奈尔大学医学院校友季刊》撰文介绍这段经历。文章说化石不多，大概装在一打左右的玻璃瓶里。我感到十分蹊跷，认为他见

名师批注

叙述——瑞士大使积极帮助中国寻回这些化石，可见国际之间的友好交往。

名师批注

叙述——弗利一再提出不合理的要求，这让作者不能接受，也为后文内容做了铺垫。

读书笔记

为什么弗利的态度有了这么大的转变？

到的根本不是"北京人"化石。他还说，他带着标本在秦皇岛等待登上美国轮船时，正赶上珍珠港事件，他被日军俘虏。因为他是医官，没有受到严格的检查，当把他们送往集中营时他还带着标本。当时不用说是个医官，就是再大的官也要接受检查呀！我觉得弗利一点谱都没有，以后跟他断了联系。

名师批注

补充说明——弗利的话与当时的事实并不相符，所以他的这些话并不可信，作者自然无法再与这样的人来往。

1980年9月中旬到10月初，美国纽约自然历史博物馆名誉馆长夏皮罗偕女儿访华，他听一位美国朋友告诉他，"北京人"化石曾藏在天津的美国海军陆战队兵营大院6号楼地下室的木板层下。他到了天津，在天津博物馆的协助下，找到了兵营旧址，这里已成了天津卫生学校，而6号楼在1976年唐山大地震时倒塌，已经改成了操场。据学校的工作人员说，这些建筑物的地下室从未铺过木板地。夏皮罗虽然还带着1939年拍摄的兵营建筑照片，但早已面目全非了。

1996年初，一位日本人在临终前，告诉他的朋友，说二战时丢失的"北京人"化石埋在距北京城外东24米处，即日坛公园神道附近，在一棵松树上还做了记号。这位日本朋友辗转地告诉了中国当局。虽然中国专家不太相信，但还是对"埋藏"地点进行了技术探测，发现有点异常。科学院副院长做出了"抓紧时间，严密组织，保障安全，快速解决"的决定。6月3日上午正式动土发掘，前后近三小时，没有结果。探测异常可能是钙质结核层引起的。

名师批注

叙述——哪怕只有一线希望，学者们也义无反顾地进行尝试，只为了找回这些化石，因为这些化石的意义非常重大。

北京电视台、中科院古脊椎动物及古人类研究所等单位发起的"世纪末的寻找"上了电视和报纸后，我又收到了很多提供线索的来信，但绝大多数的来信没有任何价值。日本的一家通讯社也来信说，他们听闻在北海道有些线索，准备派人前往调查，但后来也没任何信息。

"北京人"化石是国宝，也是属于全世界、全人类的，有很重要的科学价值。在我有生之年，我当然愿意再见到它们，这也是我们老一辈科学家的心愿。这正像我们十四名院士做出的"让我们继续寻找'北京人'"的呼吁所说的那样："也许这次寻找仍然没有结局，但无论如何，它都会为后人留下珍贵的线索和历史资料。并且，它还会是一次我们人类进行自我教育、自我觉悟的过程，因为我们要寻找的不仅仅是这些化石本身，更重要的是要寻找人类的良知，寻找我们对科学、进步和全人类和平的信念。"

"北京人"是最早的人吗？

——一场四年之久的争论

裴文中发现了第一个"北京人"头盖骨，他工作上勤勤恳恳，能吃苦耐劳，我非常敬佩他。我在周口店协助他搞发掘时，一开始什么都不懂，他耐心地教我，从不拿架子，我也十分敬重他。自从发现了"北京人"头盖骨后，我俩在学术上产生了分歧。首先是关于有没有骨器的问题。1952年周口店建成了陈列馆，为了使周口店的发现早日能与参观者见面，我带领全体工作人员没日没夜地布置展台，填写标签，大家没有一点怨言，全体工作人员只有一个愿望，把陈列馆布置好，早日开放。

我们的工作得到了竺可桢副院长和杨钟健的大力

名师批注

议论——中国人寻找这些化石，是为了寻回国宝，也是为了保护对于人类来说都非常重要的东西，它的遗失实在令人惋惜。

名师批注

语言描写——在作者心中，"北京人"化石的意义不仅在于它的学术意义，还在于它的社会意义，这就是中国人执着将它寻回的原因。

名师批注

心理描写——大家团结一致，只为了将这些成果重现在世人眼前，工作人员们的付出值得我们铭记。

支持。预展之前，裴文中来了，当他见到展台里陈列着一些骨器时，大为恼火，问我这些是什么。我说："骨器。"他叫我们打开展台，一边乱扒一边扔，还说："这也是骨器！"原来布置得整整齐齐的展台，这下全乱套了。我红着脸争辩："您的老师和您自己都承认'北京人'也制作过骨器使用嘛！这些都是选出来打击痕迹很清楚的材料，怎么说它们不是骨器呢？""那就等预展期间听听别人的意见再说吧！"等裴文中走后，我们又一件一件地把标本摆放好。

这件事传到了杨钟健的耳朵里。没想到这点小事杨钟健十分重视。杨钟健认为，对骨器的看法有分歧，就应把问题公开化，加以讨论，否则在一个陈列馆里各说各的，认识不统一，参观者更搞不明白，这就不像话。

直到1959年，我才在《考古学报》第3期上发表了一篇题为《关于中国猿人的骨器问题》的文章。文章一开始，我对周口店关于骨器的研究、不同的意见和看法做了阐述，针对裴文中1938年发表于《中国古生物志》上的论著《非人工破碎之骨化石》所说的把碎骨分啮齿类动物咬碎、食肉类动物咬碎、食肉类动物爪痕、腐蚀纹、化学作用、水的作用等几点原因，摆出了我的看法。

关于被石块砸碎的问题，我在文中写道：

洞顶塌落下来的石块把洞内的骨骼砸碎是完全可能的。……砸碎的骨骼一般都看不出打击点，即使偶尔看出砸的痕迹，但它没有一定的方向，而又集中于一点上。同时被砸碎的骨骼在它的周围还可以找到连接在一起的碎渣。

关于人工打碎的痕迹的问题，我在文章中说：

问题是在于打碎的目的是什么。有人认为打碎骨骼是为了取食里面的骨髓。这种说法并非不近情理。……那么，是不是所有人工打碎的骨骼都可以用这个原因来解释呢？我认为不能，因为有许多破碎的骨骼用这一原因就解释不通。

我们发现了很多破碎的鹿角，肿骨鹿的角虽然多是脱落下来的，但斑鹿的角则是由角根地方砍掉的。这两种鹿的角，多被裁成残段，有的保存了角根，有的保存了角尖。肿骨鹿的角根一般只保存 12 ~ 20 厘米长，上端多有清楚的砍砸痕迹；斑鹿的角根保存的部分较长，上下端的砍砸痕迹都很清楚，并且第一个角枝常被砍掉。发现的角尖以斑鹿的为多，由破裂痕迹观察，有许多也是被砍砸下来的。在肿骨鹿的角根上，常见有坑疤，在斑鹿的角尖上，常见有横沟，很可能是使用过程中产生的痕迹。

有一些大动物的距骨和犀牛的肱骨，表面上显示着许多长条沟痕，从沟痕的性质和分布的情形观察，可以断定它们是被当作骨砧使用而砸刻出来的。

破碎的鹿肢骨发现最多，特别是桡骨和距骨，它们的一端常被打成尖状，有的肢骨还顺着长轴被劈开，一头再打成尖形或刀形。此外还有许多的骨片，在边缘上有多次打击的痕迹。像上述的碎骨，我们不仅不能用水冲磨、动物咬碎或石块塌落来说明，也不能用敲骨吸髓来解释。……敲骨吸髓，只要砸破了骨头就算达到了目的，用不着打击成尖状或刀状，更用

名师批注

设问——一问一答间，作者点明了这一看法的不合理之处，并且引出了下文内容。

读书笔记 ••••••••••
作者列举这些现象有什么作用？

总结——根据所发现的现象，作者得出自己的结论，有理有据，具有较强的说服力。

不着把打碎的骨片再加以多次打击。特别是鹿角，根本无髓可取，更不能做无目的的砍砸。

对于被水冲磨的痕迹和被动物所咬的痕迹，我认为：

被水冲磨的碎骨很多……但是这种痕迹很容易识别。……动物咬碎的骨骼和人工打碎的骨骼虽然容易混淆，但仔细观察，仍是可以区别开来的，因为牙齿（多用犬齿）咬碎的常常保持着上宽下窄条形的齿痕，而这种齿痕又多是上下相对应的。

被啮齿类动物咬过的痕迹是容易区别的。因为它们都是成组的直而宽的条痕，好像是用齐头的凿子刻出来的；条痕之间有左右门齿的空隙所保留的窄条凸棱，而且由于上下门齿咬啃，条痕是上下相对的。

读书笔记 •⋯⋯⋯⋯

请观察一下自己制造的咬痕，看看它是否有这些特点。

裴文中对我的意见提出了反驳，他在《考古学报》1960年第2期上发表了《关于中国猿人骨器问题的说明和意见》的文章。文章说：

我个人还有些不同意贾先生1959年的说法。我个人认为，打碎骨头，是因为骨质内部结构的关系，骨头破碎时自然成尖形或刀状。这不是中国猿人能力所能控制的，不是有意识地打成的。

读书笔记 •⋯⋯⋯⋯

为什么裴文中先生在论文中要强调这一点？

⋯⋯⋯⋯⋯

我个人不反对周口店的一些碎骨上有人工的痕迹。就是最保守的德日进也承认鹿角上有被烧的痕迹，也有人工砍砸的痕迹。但是他认为这是猿人为了鹿头在洞内被食用时，不用将庞大的鹿角携入，而将鹿角砍砸下来的。他的意见是鹿角被烧了以后，容易砸落，烧的痕迹可以证明是为了砍掉鹿角而遗弃不食……

裴文中的文章最后说：

贾先生应该不会忘记自己所说的话："骨片之中，虽有若干是经过人力所打碎，但是有第二步工作的骨器极少，如果严格地说，连百分之一都不足。"

我与裴文中的争论，都是学术问题，观点不同而争鸣在学者之间是很正常的。有时争得面红耳赤，但不伤感情。我们得到稿费时，还经常一起到饭馆"撮"① 一顿。

经过对"北京人"化石和伴生出土的哺乳动物化石的研究，以及对出土化石层的绝对年代的测定，我们认为，"北京人"是生活在 70 万年～20 万年前，更为准确的说法是 50 万年～20 万年前，属于直立人。对"北京人"所使用的工具——石器、骨器进行的研究说明，他们打制的石器已经很好，并有不同的分类，这证明他们根据用途的不同，已能打制出不同类型的石器。"北京人"还会使用火，并能使火成堆，不向四周蔓延，这也证明了他们可以控制火。50 万年前的"北京人"能一下就懂这么多吗？这些经验是需要很长时间的实践和总结，一代一代传授下来的。那么"北京人"是最原始的人吗？

我和山西省考古研究所的王建有相同的看法。而裴文中则认为"北京人"是世界上最早的人类，不会再有比"北京人"更早的人类了。我们认为裴先生的看法是把古人类学关上了大门，不利于这门学科的发

---

① 方言，意思是一起吃饭。

读书笔记

你赞同哪位学者的观点呢，为什么？

名师批注

叙述——在学术上吵得不可开交的两人，却在得到稿费能相约"撮"一顿，两位学者都是心胸宽广的可爱的人呀！

名师批注

议论——对于裴先生的看法，作者并不认同，认为这是断章取义的理解。

展。因而我们写了题为《泥河湾期的地层才是最早人类的脚踏地》的短论，发表在1957年第1期《科学通报》上。

泥河湾期的标准地点在河北省西北部的阳原县境内，为一个东西长近100米，南北宽近40米的湖相沉积，以前在国际上一直被认为是距今200万年～100万年早更新世地层的代表。我们在文章中这样写道：

中国猿人的石器，从全面来看，它是具有一定的进步性质的。我们从打击石片上来看，中国猿人至少已能运用三种方法，即摔击法、砸击法、直接打击法（锤击法）。从第二步加工上来看，中国猿人已能将石片修整成较精细的石器。从类型上来看，中国猿人的石器已有相当的分化，即锤状器、砍伐器、盘状器、尖状器和刮削器。这种打击石片的多样性和石器在用途上的较繁的分工，无疑标志着中国猿人的石器已有一定的进步性质。虽然如此，但也不容否认，中国猿人的石器和它的制造过程还保留着相当程度的原始性质。

人类是否有一个阶段是用"碎的石子，以其偶然所成的形状为工具"呢？肯定说是有的。但事实证明，这种人类不是中国猿人，而应该是中国猿人以前的，比中国猿人更原始的人类。假若没有这样一个阶段，就不可能有中国猿人那样的石器产生。因为事物是由简单到复杂、由低级到高级而发展的。同时很多事实表明，人类越在早期，文化进程越慢。那么中国猿人能够制造较精细的和种类较多的石器，这是人类在漫长

名师批注

说明——泥河湾期的地点是非常详细且可以确定的，更证实了这一判断的正确性。

名师批注

分类别——人类发现的石器已经有了详细的分类，而这不是一朝一夕可以做到的，所以，可以相信"北京人"并不是最早的人。

名师批注

设问——偶然而成的情况肯定是有的，但是并不能将偶然当成必然来论证自己的观点。

名师批注

议论——事物发展是有一定的顺序的，不能一蹴而就。这个道理用在贾兰坡先生与裴文中先生的争论中，是很有道理的。

岁月中同自然作斗争的结果。由此可见，与中国猿人时代相接的泥河湾期还应有人类及其文化的存在。

裴文中对我们的短论进行了反驳。1961年他在《新建设》7月号杂志上发表了《"曙石器"问题回顾》的文章。文章说：

至于说中国猿人石器之前有人工打制的"石器"，我觉得这种说法也难以成立。周口店第13地点的时代是要比第1地点较早一些，但周口店第13地点的石器，我们始终认为它仍然是中国猿人制作的。而且也只有1件石器，虽然它的人工痕迹没有人怀疑，但不能说是一种文化，或者说是中国猿人文化以外或以前的一种文化。更不能证明中国猿人之前，存在着另一种人类，如莫蒂耶所说Homosinia（半人半猿）之类的人一样。

至于说中国泥河湾期（即更新世初期）有人类或有石器，我们应该直率地说，至今还没有发现。同样的问题，也就是"曙石器"问题，在西方学者中曾争论了近百年，也有许多人尽了很大的努力寻找泥河湾期（欧洲维拉方期）的人类化石和石器，但没有成功。如果欧洲的科学发展程序可以为我们所借鉴的话，我们除了在一些基本原则问题上展开"争鸣"以外，是否可以做一些有用的工作，如试验、采集工作？这比争论现在科学发展还没到达解决问题的时间，或比在希望不大的地层中去寻找有争论的"曙石器"，可能更有意义一些。

我和裴先生对"北京人"是不是最原始的人的争论，引起了很大轰动。《新建设》《光明日报》《文汇

读书笔记 ⋯⋯⋯⋯⋯

结合下文，说一说裴文中先生是从哪些方面来反驳贾兰坡先生的观点的？

报》《人民日报》《科学报》《历史教学》《红旗》等报刊上都发表了对此争鸣的文章和意见。参加这场争鸣的人除了我和裴文中外，还有吴汝康、王建、吴定良、梁钊韬、夏鼐（1910—1985）等先生。大家都认为中国猿人不是最原始的人。

1962年，夏鼐在《红旗》第17期上，发表了《新中国的考古学》的文章，其中有这样一段话：

1957年山西芮城县匼河出土的石器，据发现人说，比北京猿人还要早一些。现在我们可以将我国境内人类发展的几个基本环节联系起来。最近，关于北京猿人是不是最原始的人这一问题，引起了学术界热烈的争鸣。有的学者认为："北京猿人已知道用火，可以说已进入恩格斯和摩尔根所说的人类进化史上的'蒙昧期中期阶段'，不会是最古的最原始的人。匼河的旧石器也有比北京猿人为早的可能。"

到了这时，这场达四年之久的争论才算停止，虽然没有争出个子丑寅卯，但对这门学科是个大促进，它给这门学科也带来了很大的动力，大家为了寻找比"北京人"更早的人类化石和文化拼命地工作，并为这门学科的发展带来了新的曙光。

找到了比"北京人"更早的人类化石

对待科学的态度，我认为人的头脑要围着事实转，不能让事实围着自己的头脑转。对的就要坚持，不管你面对的是外国的权威，还是中国的权威。错了就要坚决改，不改则会误人、误己。

科学是要以事实为依据的，争来争去，没有证据也是枉然。

1953 年 5 月，山西省襄汾县丁村以南的汾河东岸，一些工人在挖沙时，发现了不少巨大的脊椎动物化石。山西省文物管理委员会接到报告后，派王择义前往调查，在县政府的协助下，征集到了 1.1 米长的原始牛角、象的下颌骨、马牙等动物化石，还有一些破碎的石器、石片和很像是人工打制的带有棱角的石球。

同年，中科院古脊椎动物研究室的古脊椎动物专家周明镇到山西了解采集的脊椎动物化石的情况，见到了这些石片，认为有人工打击的痕迹，就把动物化石和石片等都带到了北京，准备进一步研究。旧石器除周口店外，在我国发现很少，大家见到周先生带回的材料非常高兴，并把夏鼐、袁复礼（1893—1987）等专家请来，一是观看标本，二是讨论丁村地点是否应该发掘。结果大家一致同意把丁村发掘工作作为 1954 年古脊椎动物研究室的工作重点。

1954 年 6 月，裴文中与山西省文管会的王建又到丁村进行了复查。由我任发掘队队长，裴文中、吴汝康、张国斌及山西省的王建、王择义等人参加，9 月下旬到丁村开始发掘。

我们先进行了普查，共发现了化石点 9 处，编号为 54：90 ~ 54：98，后又在附近发现了 5 处，编号为 54：99 ~ 54：103。前后共发现了 14 处。我们只选择了 9 处地点发掘，重点集中在 54：98、54：99 和 54：100 三个地点。共计发掘了 52 天，挖土方 3320 立方米，共采集包括蚌壳、鱼、哺乳动物化石器等 40

读书笔记
请查阅资料，了解当时的这些发现。

名师批注
列数字——发掘的过程十分艰难，但是收获也非常丰富，付出和回报总是成正比的！

余箱。在 54∶100 地点还发现了 3 颗人牙。后吴汝康先生经研究，认为人牙属于"北京人"与现代人之间的人类——丁村人。石器经我和裴文中研究，就时代而论，比周口店中国猿人文化及第 15 地点的文化较晚，即属更新世晚期。但丁村文化是我国发现的一个旧石器时代晚期文化，无论在中国和欧洲，以前都没有发现类似文化。最初我们推论丁村文化是山顶洞人和"北京人"之间的一个环节，我们把各地点的石器都作为同一个时期的石器来看待，随着进一步研究，才发现各地点的时代并不相同，各地点的石器类型也不一致。

读书笔记

从科学家的发现中，你能得出什么结论？

名师批注

议论——丁村的发现证明了旧石器文化的多样性，也是这一学科的一大突破。

丁村旧石器遗址的发现，证明了旧石器文化在中国有着不同的传统，并非只有周口店"北京人"一种传统。丁村人的时代也比"北京人"的时代晚。虽然我们还没找到比"北京人"更早的人类化石和文化，但这对于这门学科也是可喜可贺的。

1957 年和 1959 年，为了配合三门峡水库的建设，中国科学院古脊椎动物与古人类研究所（中华人民共和国成立后，新生代研究室归属中国科学院，在新生代研究室的基础上，1953 年建立了中国科学院古脊椎动物研究室，1957 年改为现名）在那一带做了许多工作。从发现的材料看，那一带是研究第四纪地质、哺乳动物化石和人类遗迹的重要地点。1960 年，我们把匼河一带作为年度工作重点，同年 6 月我带队前往发掘，重点定为 60∶54 地点。那里的地层剖面很清楚，最下面的是淡褐色黏土，时代应为距今 100 多万年的更新世早期。在这层上面含有脊椎动物化石和旧石器

读书笔记

请画出匼河一带地层的示意图。

的桂黄色的砾石层，有 1 米厚；往上是 4 米厚的层次不平的交错层；再上是 20 米厚的微红色土，夹有褐色土壤和凸镜体薄砾石层；最上面是年代很晚的细沙和沙质黄土。在这里我们发现了扁角大角鹿、水牛、师氏剑齿虎等哺乳动物化石。发现的石制品以石片为主，有大小石片和打制石片剩下来的石核以及一面或两面加工过的砍砸器等。扁角大角鹿在周口店"北京人"地点最下层和第 13 地点也发现过，根据这种动物的生存年代和绝种年代，我们认为匼河地点的时代应划为更新世中期的早期。从石器上观察，"北京人"的石器在制作技术上比匼河发现的石器有进步。尽管匼河的石器也有早晚之分，我们都按同一个时代看待它们，无疑匼河的石器要早于"北京人"使用的石器，至少 60：54 地点的发现是如此。

虽然我们把重点放在匼河，但仍派出一部分人在附近搜寻新地点。在距匼河村东北 3.5 千米，黄河以东 3 千米的西侯度村背后，当地人称为"人疙瘩"的一座土山之下的交错沙层中，我们发现了一件粗面轴鹿的角，粗面轴鹿生活在 200 万年～100 万年前。在发掘粗面轴鹿角的过程中，我们还发现了 3 块有人工打击痕迹的石器。为了慎重起见，我们在《匼河》一书中只说："其中还发现了几件极有可能是人工打击的石块。" 1961 年的 6 月至 7 月间和 1962 年春夏之际，王建又主持了两次发掘。当时正值"三年困难时期"，发掘都是在全国人民生活极端困难的情况下进行的。西侯度地点的地层剖面十分完整，总厚度 139.2 米。产化石和石器的地层位于距底部 79 米之上的交错沙层中，

读书笔记
为什么我们在书中要如此慎重地进行表达？

名师批注
背景补充——国家处于十分困难的时期，但是发掘工作一直都未停止，学者们克服困难，只为寻找一点新的发现，这样的精神令人感动。

名师批注

说明——在地点西侯度的发现非常丰富，足以证明学者们的观点是正确的。

名师批注

疑问——学者们又有了新发现，但随之而来又有了要解决的问题，关于这个问题的答案，人们又会开始新的争论，设下悬念，吸引读者。

名师批注

叙述——学者们对于地质的研究都十分在意，有了新发现便立即行动。

读书笔记

蓝田猿人在人类进化史上处于哪个阶段？

有1米左右厚。从剖面就能看出，含化石和石器的地层属于更新世早期。发现的哺乳动物化石有剑齿象、平额象、纳玛象、双叉麋鹿、晋南麋鹿、步氏真梳鹿、山西轴鹿、粗壮丽牛、中国长鼻三趾马等，它们都是更新世早期的绝灭种。与化石同层发现的石器，除1件为火山岩、3件为脉石英外，其余都是各种颜色的石英岩。在石器组合中，有石核、石片、砍斫器、刮削器和三棱大尖状器，最大的石核有8.3千克重。我和王建在研究了这些石器后，写了《西侯度——山西更新世早期古文化遗址》一书。

西侯度遗址的发现，使更多的人确信"北京人"不是最早的人类，这从文化遗存上得到了证实。能不能找到100万年前的人类化石呢？

1959年，地质部秦岭区测量大队的曾河清，在一次三门峡第四纪地质会议上，介绍了陕西省蓝田县泄湖镇的一个第三纪和第四纪的剖面。同年，中国科学院地质研究所的刘东生先生也到泄湖镇采集脊椎动物化石标本，并对第三纪地层做了划分。根据这条线索，中国科学院古脊椎动物与古人类研究所于1963年6月派出张玉萍、黄万波、汤英俊、计宏祥、丁素因、张宏等六人组成的野外工作队，到蓝田县一带，开展了系统的地质古生物调查和发掘。7月中在距蓝田县西北10千米的泄湖镇陈家窝村附近发现了一个完好的人类下颌骨和一些石器。下颌骨经吴汝康先生研究是距今60万年～50万年的直立人下颌骨。吴先生定名为"蓝田猿人"。这一发现增加了蓝田地区在学术上的重要地位。

　　1963 年第四季度，全国地层委员会扩大会议在北京举行。会上提出，中国科学院古脊椎动物与古人类研究所与其他单位协作，再次对蓝田地区进行大范围的新生代时期地层的详细调查。参加这次调查的有地方部门、大专院校和中国科学院有关研究所共九个单位，对这一地区的地层、地貌、冰川、新构造、沉积环境、古生物、古人类和旧石器考古等学科涉及的领域进行综合性的考察和研究。古脊椎动物与古人类研究所除了参加地层调查工作外，还承担古生物、古人类和旧石器的发掘和研究。

　　1964 年春，所里派遣了以我为队长和由赵资奎等人组成的发掘队，对蓝田地区新生界进行了更大规模的调查和发掘。经过三个月的努力工作，我们不仅填制了 450 平方千米的 1∶50000 新生代地质图，实测了 30 多个具有代表性的地质剖面，还发掘出大量的脊椎动物化石和人工石制品。5 月 22 日在蓝田县城东 17 千米的公王岭发现了 1 颗人牙。当我赶到发现地点时，天下着小雨，大家正围着大约有 1 立方米被钙质结胶的土块商量，土块上露出了很多化石，化石很糟朽，一不小心，就会被挖坏。能否整块地运回北京，再慢慢地修理？经过讨论，大家决定用"套箱法"，即用大木箱将土块套起来，再将土块底部挖空，把箱子扶正，往空隙处灌上石膏。这一箱被钙质结胶在一起的化石运回北京后，经过技工几个月的修理，除了修出来哺乳动物化石外，10 月 19 日还修出了 1 颗人牙。几天后又出现了 1 个人的头盖骨、上颌骨和 1 颗人牙。

　　人类化石经吴汝康先生研究认定是距今 110 万

年的直立人头骨。吴先生也把它定名为"蓝田中国猿人"。其实公王岭的头骨应称"蓝田直立人",简称"蓝田人",而陈家窝的下颌骨从构造看应属"北京人"。

蓝田直立人的发现,又一次在国内外引起轰动,这是继20世纪20年代末、20世纪30年代中期周口店发现了"北京人"之后,在我国发现的又一个重要的直立人头骨化石。它不仅扩大了直立人在我国的分布范围,而且把直立人生存的年代往前推进了五六十万年,从而给"在我国有没有比'北京人'更早的人"的争论画上了圆满的句号。

随之,1965年在我国的云南省元谋盆地上那蚌村附近的小丘梁发现了两颗人的上门齿,经研究测定,为170万年前的直立人化石。1998年在四川省巫山县(今属重庆市)的龙骨坡也发现了200万年前的石器,安徽省繁昌县(今芜湖市繁昌区)也发现了240万年~200万年前的石器。这证明了人类的历史比之前我们知道的更久远。

人类起源的演化过程

周口店发现了"北京人"头盖骨之后,人们对人类起源的认识大为改观。过去反对人类起源于猿,说"人就是人,怎么能是从猿猴变来的呢"的这些人沉默寡言了。在周口店不但发现了人的头盖骨,而且还发现了人工打制的工具——石器以及骨器、鹿角器、灰烬、烧石、烧骨等人为的证据。我曾说过这样的话:"'北京人'解放了其他国家所发现的早期人类

名师批注

议论——这一次的发现意义重大,并且结束了学界中长久以来的争论,值得被记载在历史中。

读书笔记

请查阅资料,了解关于人类历史的最新发现。

读书笔记

作者的这句话有什么含义?

化石。"

随着社会不断地前进，古人类学和旧石器考古学不断地壮大和发展，许多珍贵的人类化石和古人类使用的石器在世界各地不断地被发现，古人类学基本上已经能够较完整地向人们展示人类演化的历史全过程。尽管在人类进化过程中仍存在很多缺环，有些问题还有很大的分歧和争议，但人类起源于猿再没有人反对了。

既然人是从猿进化来的，人猿同祖，那么，人、猿、猴的祖先又是什么样的呢？这就要先了解灵长类的起源。

最古老的灵长类，也就是人类及现代所有猿猴的共同祖先，可上溯到 6500 万年前的古新世。这种动物不像猴，倒像松鼠，是爱在地上乱窜、专门以昆虫为食的胆小哺乳动物。在古新世，地球上到处都是热带森林，在这大片的森林中有很多很多外形像老鼠的哺乳动物，像今天的田鼠、鼹鼠、豪猪等都是它们的近亲。可能树上的食物比地上丰富，有一些像老鼠一样的早期哺乳动物开始爬上了树，以果实、昆虫、鸟蛋及幼鸟为食。今天仍有这种早期灵长类的后裔，我们称它们为"原猴"，其中包括狐猴和眼镜猴。这些原猴几千万年来，体形骨骼几乎没什么变化，因为它们非常适应这样的生活环境。但是另一些种类的原猴变化很大，它们随着环境、气候或其他与之生存相关的动物的变化，可能影响到物种的演变。这种变化大的原猴，由于树栖生活，它们的后肢变长，前爪渐渐失去了像鼠类那样的尖爪，变成了扁平的指甲。以后它们

名师批注

设问——目前人类对于自身的祖先已经没有争议了，但有一系列新的问题需要解答。作者的一问一答既承接了上文，也为下文内容做了铺垫，一举两得。

读书笔记 ·············
这种动物可能长什么样子呢？请大胆想象，并且画出来。

名师批注

对比——同一祖先的物种，两者之间的进化与变化却截然不同，可见环境、气候等因素对动物进化的影响之大。

出现了特有的神经系统，能控制肌肉运动。特别是立体视觉的产生，大幅度地转动脑袋，能准确地判断距离。大脑不断地频繁处理从感觉器官传来的信息，并指挥四肢运动，所以大脑的进化和相对体积也都比其他动物大。到了3800万年前的始新世晚期至渐新世早期，至少已经有了较为高等的灵长类。

名师批注

说明——在研究过程中，学者们逐渐发现了更多的化石，以此拼凑起人类发展演变的整个过程。

有一种叫"副猿"的灵长类，它的颌骨和牙齿与现代原猴类相近，是现代的眼镜猴或狐猴的祖先；还有一种叫"原上新猿"，它们身体的大小和一些结构细节与长臂猿相近；再有一种叫"埃及猿"，它的牙齿结构是典型的猿类，行动方式上也显示出了高等灵长类的特点。这类灵长类化石发现于1966年埃及法尤姆，大约3200万年的渐新世地层中，被一些科学家认为很可能是人和猿的共同祖先。

在亚、非、欧三大洲距今2000万年～1400万年的中新世地层中，出土了许多被称为森林古猿的化石。1956年，在我国云南省开远小龙潭的煤层中发现了一些牙齿，也被定为森林古猿的牙齿化石。森林古猿的化石发现很多，它们与黑猿较相似，但一些特征很像猴子。人们发现森林古猿的个体差异很大，有的很小，有的很大，有的在大小之间。一些科学家认为人类有可能是由某个地方的森林古猿种群演化来的。

读书笔记 •·················

作者运用这些修饰词有什么好处？

1932年，美国古人类学家路易斯在印度和巴基斯坦交界的西瓦拉克山发现了一件中新世晚期的灵长类右上颌残片，将这种灵长类称为拉玛古猿。

它的齿弓不像其他猿类那样呈两侧缘，而是几乎平行的U形，显示出似人类那样的抛物线形。猿类有很长的犬齿，而人类的犬齿很小，拉玛古猿的犬齿也很小。拉玛古猿的生存年代估计在 1000 万年 ~ 800 万年前。与拉玛古猿伴生在一起的还有另一种猿类化石，被称为"西瓦古猿"。它与拉玛古猿很相似，只不过拉玛古猿具有一些似人的性状。从 20 世纪 50 年代以来一些专家把拉玛古猿看作是人类演化中最古老的猿类祖先，它曾被称为"尚不懂制造石器的人类的猿型祖先"。也有一些学者认为拉玛古猿和西瓦古猿是同一类古猿，只是有性别上的差异。而拉玛古猿与人无关，只是亚洲的褐猿的直系祖先。

到目前为止，究竟哪类古猿是人和猿的共同的祖先，还没有定论，众说纷纭，有待于新的材料的发现和更深入的研究。

1924 年，在南非（阿扎尼亚）的塔昂，采石工人发现了一具似人又似猿的残破头骨，经南非约翰内斯堡维特瓦特斯兰德大学解剖学教授利芒德·达特的研究，认为这是 6 岁左右的幼儿头骨，全套乳齿保存完整，臼齿的恒齿已开始长出，犬齿像人的一样很小，并能直立行走，这具塔昂幼儿可能代表了猿与人的中间环节，被定名为"非洲南猿"。1925 年，达特在英国《自然》杂志宣布了这一发现，声称找到了人类的远祖。但是，在当时这一发现因遭到了各方面的怀疑而被埋没了很多年。南非比勒陀利亚特兰斯瓦尔博物馆脊椎动物馆馆长罗伯特·布鲁姆认为达特的判断是对的，只不过没有足够的证据。经过他多年的不懈努力，终于找到了不少南猿的化石材料。这些南猿化石有两种类型，一种叫纤细型南猿，一种叫粗壮型南

读书笔记 ··········
从学者们的这些发现中，你能得出什么结论？

名师批注
总结——人类起源的问题还没有彻底解决，因此需要更多的证据和发现。

读书笔记 ··········
人们为什么会怀疑这个发现？

猿。而且南猿能直立行走，是早期人类的祖先。

在以后，非洲有很多地方发现过南猿化石，如南非的塔昂、斯特克方丹、克罗姆德莱、斯瓦特克兰斯、马卡潘斯盖等，东非坦桑尼亚的奥杜威峡谷，肯尼亚的图尔卡纳湖东岸，埃塞俄比亚的奥莫河谷等地区都有发现。亚洲南部也有可能找到它们的踪迹。

1974年在埃塞俄比亚的哈达地区找到了一具保存达40%的骨架遗骸。这是一种十分矮小纤细的南猿，被称为"露茜少女"。这是一种新的，更古老，更原始的南猿，被定名为"南猿阿法种"，经年代测定，生活在330万年～280万年前。此后又掀起了寻找人类祖先的高潮。

肯尼亚内罗毕克林顿纪念博物馆的馆长路易斯·利基夫妇及儿子、儿媳，多年来一直为寻找人类的远祖和石器的制造者默默地在东非工作着。1950年，老利基夫妇在东非坦桑尼亚奥杜威峡谷找到了一个头骨。这个头骨从外表上看很像粗壮南猿，臼齿很大，但仔细观察，牙齿更像人的。利基将它定名为"东非人鲍氏种"。后来这具头骨归属南猿类的一个种，叫"南猿鲍氏种"。1959年，利基夫妇又在奥杜威找到了简单的、用鹅卵石制造的工具，被称为"奥杜威工具"。1960年，利基的儿子又在东非距发现东非人不远的地方发现了牙齿和骨片，这些比鲍氏种甚至比纤细型南猿更具有人的特点。利基将这具化石定为"能人"，认为这些能人是石器工具的制造者。这一看法被大多数学者所接受。

根据目前发现的化石材料看，学者们对人类的早期演化得出了大概的轮廓：

1. 人与猿至少在 500 万年前就分道扬镳了。

2. 400 万年～250 万年前，远古人类在进化过程中，分成了不同的几支，先进的与落后的同时并存。

3. 先进的一支继续向着直立人发展。落后的类型逐渐地灭绝。

能人再进一步进化，就成了直立人，他们生活在 170 万年～30 万年前。过去将他们称为"猿人"，比如，"爪哇猿人""中国猿人""蓝田猿人"等。实际上直立人现在看来是人类在进化过程中的一环，他们会打制不同用途的石器，有用火和使用火的文明史，而且脑量已达 1000～1300 立方厘米；下肢与现代人十分相似，说明其直立姿态已很完善。所以我们现在将他们称为人，如"北京人""蓝田人""元谋人"等。虽然这一阶段的人在学术上被称为直立人，但并不能说明南猿和能人不能直立行走。在人类起源整个过程中，人们最初对于直立人的全面认识，主要来自"北京人"的发现及对其文化的研究。所以 1929 年，裴文中在周口店发现的第一个"北京人"头盖骨在研究人类起源过程中占有重要的地位。

前面我们已经介绍了直立人发现的经过。直立人再进化就到了智人阶段，他们生活在 20 万年～1 万年前，特别是晚期智人与现代人在体质上没有多大的区别。

人类使用工具也是人类起源的证据

人是从猿进化来的，人与猿的真正区别在于人会

读书笔记
从中你懂得了什么道理？

名师批注
说明——直立人与现代人类有非常多的相似之处，它们是人类进化过程中非常重要的一环。

读书笔记
结合前文内容说一说，第一个"北京人"有什么重要意义呢？

名师批注
开门见山——总结全文，直接挑明话题，为下文做铺垫。

制造工具。所以我一直认为：在从猿向人类演化的过程中，只有能制造工具时，才算是人了。

由于气候和环境的变化，热带和亚热带的森林逐渐减少，丰富的地面食物促使树栖生活的古猿开始向地栖生活转化。为了取食、防御猛兽的侵害，谋求生存和发展，它们不得不借助其他物体来延长自己的肢体，弥补自身的不足。频繁地使用木棍和石块，慢慢地成了地面生活不可缺少的条件，这也意味着从猿到人的转变过程随之开始了。这些人科动物因频繁使用天然物，上肢逐渐从支撑身体的功能中解放出来，形成了灵巧的双手，上肢变短，拇指变长并能与其他四指相对，以便灵巧地捏、拿、握任何物体。整个下肢增强、变长，为了适应地面行走，大脚趾与其他四趾变短并靠拢，脚底形成有弹性的足弓和发达的后跟，逐渐形成了人的腿和脚。

骨盆的变化更大，猿的半直立的狭长的骨盆开始向短宽强壮的人类骨盆发展，这说明人科动物正在向人的直立姿势进化。直立的姿势对身体结构也产生了一系列的深刻影响，例如：头部挺起来了，不再向前倾，颅骨的枕骨大孔位置由后逐渐前移；身体重心不断下移，脊柱逐渐形成 S 形的弯曲；内脏器官的排列方式改变，大部分重量不压在腹壁上，而朝下压在了骨盆上；等等。

人与灵长类的区别，表现在直立行走，制作和使用工具，有发达的大脑和语言。双手使用天然工具，促使身体朝着直立发展，而直立又反过来进一步解放了双手。随着思维活动的增强，大脑也逐渐发达起来，脑量

名师批注

背景介绍——古猿进化为人类是因为气候和环境的变化。

读书笔记 ·················

对比人类现在的体型，想象一下古猿是什么样子的呢？

名师批注

说明——在人类逐渐直立的过程中，不仅使盆骨发生变化，身体的其他部位也随之发生了很大的变化。

名师批注

叙述——双手解放与直立行走互相促进，最终使古猿进化成现代人类的样子。

增加了，产生了原始语言，也增强了自觉能动性。

从使用天然工具逐步变成了制作适手的工具，最后到制作各种不同用途的工具，从猿到人的演化已经基本完成了。所以说古人类使用的工具，也是人类起源的最有力的证据。而古人类使用的石器和其他物品均被称为"物质文化"或"文化"。

早期人类的认识能力和技术水平很低，当他们需要找比较坚硬的材料制作工具时，最现成的原料就是石头。石头取材方便、加工简单，何况他们在不会制作石器之前，就已经使用天然石块做武器或工具了。

随着对石块认识的加深，人类开始有选择地使用较为锋利的石块，用钝了就扔。

人类活动的频繁和复杂化，使人类懂得了制作简单的工具。随后对原材料的选择也有了进一步的认识，石器的加工也日益精致，最后能按不同的用途加工成各种各样的形状。

石器加工的粗糙或精致，除了技术原因外，原材料也是一个很重要的因素。古人类所处的生活环境中，有优质的原材料，就能打制出很精美、很锋利的石器；没有优质的原材料，打制出的石器就很粗糙。为了寻找优质材料以加工石器，他们把选择优质石料作为一项重要的采集工作，或把优质石料的产地当作他们的采集场或石器加工场。

目前，根据对旧石器时代石器的发现、研究和比较，石器可以分成砍砸器工艺类型、手斧工艺类型、石片（石叶）工艺类型。

砍砸器和手斧类型多是重型工具，石片类型则是

名师批注

议论——人类制作、使用工具，证明了人类的起源。这是作者从一系列的发现中得出的结论，令人信服。

读书笔记

你知道什么是打造精美、锋利石器的优质原材料吗？

读书笔记 ··············
为什么不同地方的人使用的工具会有这么大的差别？

轻型工具。有些学者认为重型石器多为住在森林中的人使用，工具的用途以砍伐树木，敲砸骨头和坚硬的果实为主；轻型工具（最小的不足 1 克，大的也只有 10 多克）可能为草原中人所使用。按这种说法推论，同一地点发现的石器有大有小，就是居住的环境既有森林，也有草原了。"北京人"当时在周口店居住的环境就是如此，所以其地点发现的石器有大也有小。

世界各地发现的石器各不相同，这只是从总体上来看的，相同的类型有时也有，只是比例上有大有小而已。欧洲发现的石器多是用石核或厚石片两面打成的，又称作"两面器"。这种石器在欧洲占有主要的地位。我国的石器多是石片再加工成的，虽然也有石核打制成的石器，但比例不大。相反，在欧洲发现的石器虽然也有石片石器，但为数较少，在打击石片、制作方法和器形上也与我国的不同。

名师批注
对比——我国发现的石器与欧洲发现的石器有很大的区别，而这也是因受到环境、气候影响而产生的。

随着人类历史的发展，人们认识到了强化生产活动和工具使用的效率中间的问题。旧石器时代的中晚期已有磨光石器被零星使用，磨光石器一直被认为是新石器时代的代表性物品。磨光石器一般被认为与砍伐树木、开田务农有关。虽然打制的石斧也能砍伐树木，但很容易变钝，需要经常修理，而修理后的石斧又不如原来的锋利，大大影响了工具的使用寿命。经过磨光后的石器，表面光滑，刃口平直，砍伐时的阻力比不磨光的小得多。虽然磨光一件石斧比打制一件石斧花费的时间要长得多，费力得多，但它们的使用寿命长，使用时也很省力。有一项试验表明，一件磨光的石斧在 4 个小时里砍伐了 34 棵树之后，刃口才变

读书笔记 ··············
为什么磨光石器会和砍伐树木、开田务农有关？

名师批注
列数字——磨光石器在使用过程中，比不磨光的石器的效率要高得多，所以即使它的制造时间更长，但是依旧会被青睐。

钝。随着农业的出现，在农耕中采用磨光的石锄和石锛有着极大的优越性。以后磨光石器应运而生。

长期以来，把磨光石器作为新石器时代的代表器物的同时，也把陶器视为新石器时代的一种标志。陶器的发明和使用，与人类农耕定居活动有着密切的关系，与人类生活方式的变化有关。陶器的功能一般用于贮藏和炊煮食物。但在陶器发明之前，在旧石器时代晚期，制陶技术就已经出现，那时只是用焙烧方法制作陶像，人们还没想到用这种方法也能烧制容器。制陶工艺在2.8万年～2.4万年前开始出现，而陶器的出现要晚1.4万年左右。

如何划分旧石器时代和新石器时代，学术界现在还没完全统一。有的学者在旧石器时代和新石器时代之间又划出一个"中石器时代"，但我并不赞成这种划分。我国早在2.8万年前就有了磨制技术，农耕的出现也比估计的要早。又发现了距今1.3万年的陶片，所以我认为陶制品就是很好的凭证，只要有了陶器，那么就可以称为新石器时代了。

人类诞生在地球历史上的位置

人类进化的历史已经有几百万年了，但与地球的历史相比较，也只不过是很短很短的事。早期的人类化石材料不断地被发现，人类的起源也越来越提前。根据我个人的观点，人类的历史已经有400万年了，但与地球的历史相比也只是一瞬间。

现在探索的结果，地球的形成已有45亿～50亿年了。根据地史学的研究和国际上的统一规定，整

读书笔记
为什么陶器会晚出现这么多年？

名师批注
对比——人类历史已经算得上漫长了，但对于地球来说，也不过是一瞬间，由此可见，地球的历史是极其漫长的。

读书笔记
45亿到50亿年对于人类的生命来说，是怎样的概念？请用自己的话说一说。

个地球的历史分为五个大的阶段，这五大阶段称作"代"：太古代、元古代、古生代、中生代、新生代。每个代再分成若干个次一级的单位，叫作"纪"；每个纪再分成若干个再次一级的单位，叫作"世"。还有的国家和地区把"世"又分成若干"期"。

太古代，地球形成之后，很长一段时间内是没有生命的，生命还处在化学进化阶段，这个年代距离我们今天太遥远了。

元古代，大约 17 亿年前，地壳发生了一次大的变动，生物界出现了一次大的飞跃，生命从化学进化阶段一跃而进入了生物进化阶段，有生命的物质开始出现。元古代又分成前震旦纪和震旦纪。元古代的早期叫作前震旦纪，晚期大约开始于 8 亿年前，结束于 5.7 亿年前，叫作震旦纪。

古生代，大约在 5.7 亿年前，地球的环境又发生了一次大的变动，促使生物界出现了一次空前的大飞跃，大量的古代生物开始在地球上出现。古生代分成了六个纪：寒武纪，始于 5.7 亿年前，结束于 5 亿年前；奥陶纪，始于 5 亿年前，结束于 4.4 亿年前；志留纪，始于 4.4 亿年前，结束于 4 亿年前；泥盆纪，始于 4 亿年前，结束于 3.5 亿年前；石炭纪，始于 3.5 亿年前，结束于 2.85 亿年前；二叠纪，始于 2.85 亿年前，结束于 2.3 亿年前。

中生代，大约在二叠纪末期，由于环境适宜，地球上的脊椎动物大量涌现，特别是爬行动物，空前繁盛。各种"龙"特别多，水中有鱼龙，空中有翼龙，陆上有各种恐龙，所以中生代又称为"龙的时代"。中生代划

名师批注

叙述——生物界的大变动基本都是因为地球环境的变化，可见地球环境对于人类来说是多么重要！

读书笔记

你知道哪些"龙"呢？请列举两种。

分为三个纪：三叠纪，始于 2.3 亿年前，结束于 1.95 亿年前；侏罗纪，始于 1.95 亿年前，结束于 1.35 亿年前；白垩纪，始于 1.35 亿年前，结束于 6700 万年前。

新生代，在中生代末期，地球的气候发生突然变化，也有人认为是彗星撞上了地球，植物大量毁灭，引起了生物界的连锁反应，以植物为生的动物大批大批灭绝，又给以食肉为生的动物带来了死亡的威胁。总之，在地球上称霸一时的各类恐龙大批灭绝，而在中生代出现的一支弱小的哺乳类动物，得到了生存和发展的机会，派生出很多支系，使地球上的生物出现了一个崭新的面貌，地球也进入了一个更加繁荣的新时代。新生代分为两个纪：第三纪和第四纪。第三纪又划分为五个世：古新世、始新世、渐新世、中新世、上新世。第四纪分为两个世：更新世和全新世。

人类是在第四纪开始出现和进化的，比起地球的历史当然是一瞬间的事。有一位科学家打了一个通俗的比喻，如果把地球的历史比作一天的 24 小时，那么 1 秒相当于地球历史的 5 万年。按现今的发现，把人类的历史按 300 万年计算，人类的出现只相当于 24 小时的最后一分钟。

0 点	地球形成
5 时 45 分	生命起源
21 时 12 分	鱼类产生
22 时 45 分	哺乳类动物出现
23 时 37 分	灵长类出现
23 时 56 分	拉玛古猿出现

读书笔记
你认为可能是什么原因导致了地球气候的突然变化？

名师批注
类比——人类的历史在地球历史中，只能算是 24 小时的最后一分钟，可见与地球相比，人类不仅渺小，出现的时间也不过短暂一瞬，那又怎么能称自己为地球的主人呢？

名师批注
列图表——清晰地反映了各个时代在地球历史中所占的比例，更突显出人类的"年轻"。

23 时 58 分	南方古猿出现
23 时 59 分	能人出现
午夜前 30 秒	直立人出现
午夜前 5 秒	智人出现

名师批注

背景介绍——当人类出现的时间不断被刷新时，第四纪的划分自然会随之改变。

第四纪开始的重要标志是人类的出现。由于古人类化石不断地被发现，而且人类化石的年代越来越早，所以第四纪起始的年代也越来越往前提。20 世纪 20 ~ 30 年代，在古人类学和考古学研究领域中，一般认为"北京人"是属于更新世早期的人类。第四纪起始年代定为距今约 60 万年。随着"爪哇人"被承认为直立人阶段的古人类，而且年代比"北京人"还要早，国际地质学会于 1948 年在伦敦的会议上，把欧洲的维拉方期和中国的泥河湾期划归为更新世早期，"北京人"生活的时代为更新世中期，第四纪起始年代改为约 100 万年前。到了 20 世纪 60 年代，超过 100 万年的古人类化石又不断地有了新发现。第四纪起始年代又前推到了 200 万年 ~ 150 万年前。近十多年，非洲大陆不断地有更早的人类化石发现，第四纪起始年代又推到 300 万年前。

名师批注

叙述——在历史发展的过程中，人类出现的时间一直随着新的发现而不断变化，所以第四纪的划分一直无法确定。

我认为，根据目前的发现，必将在上新世距今 400 多万年的地层中找到最早的人类遗骸和最早的工具，人能制造工具的历史已有 400 多万年了。

读书笔记

为什么作者会如此自信？

1989 年，在美国西雅图举行的"太平洋史前学术会议"上，我曾建议把地质年表中的最后阶段"新生代"一分为二，把上新世至现代划为"人生代"，把古新世至中新世划为"新生代"。我认为这样的划分比过去的划分更明确。

21 世纪古人类学者的三大课题

随着我国的改革开放，经济上的崛起，科教兴国政策的实施，在科学和文化领域必将有一个欣欣向荣的崭新面貌。有人称，21 世纪是中国在各方面全面发展的世纪。从 20 世纪初我国兴起的古人类学、旧石器考古学，到目前为止，人类起源的时间、人类起源的地点、人类在演化过程中先进与落后的重叠现象这三大课题还没有一个满意的答案，这将是这门学科在 21 世纪的主要研究课题。也是古人类学研究中最引起人们注目和最富有吸引力的课题。

人类起源的地点，最初有人认为是欧洲，因为欧洲研究古人类的历史较早，最早发现的古人类化石也在欧洲。随着古人类学的发展，古人类化石和文化的不断发现，没人赞同欧洲起源说了，就连欧洲的学者也承认人类起源地不在欧洲。后来在非洲发现了古人类化石，有人把目光转向了非洲，说人类起源于非洲。当亚洲有了更多的古人类化石被发现后，又有人认为亚洲是人类的发祥地。这个问题直到现在还在争论。

美国学者马修于 1911 年在纽约科学院宣读了《气候与演化》的论文（1915 年正式出版），在论文中，他支持 1857 年利迪（J.Leidy）提出的人类起源于"中亚"的论点。利迪认为，在中亚高原或附近地带出现了最早的人类。不过利迪的论点在当时没有被人们重视和接受。美国人类学家奥斯朋在 1923 年提出：人类

名师批注

背景介绍——改革开放的伟大政策给了中国发展的机会，并且除了经济、科技的发展，文化同样被带动着朝前进步。

读书笔记

为什么作者会觉得这三大课题是古人类学研究中最有吸引力的？

名师批注

叙述——人们的观点随着不断出现的新发现而改变，客观存在的事实也让这种改变毫无争议。

的老家或许在蒙古高原。他认为我们最初的祖先不可能是森林中人，也不会从河滨潮湿、多草木、多果实的地方崛起。只有高原地带环境最艰苦，人类在那里生活最艰难，因而受到的刺激最强烈，这反而更有益于演化，因为在这种环境中崛起的生物对外界的适应性最强。

读书笔记 •••••••••

你赞同马修的观点吗？为什么？

我的观点是，人类起源于亚洲南部即巴基斯坦以东及我国的广大西南地区。这是因为 1965 年在我国云南省元谋盆地发现了 170 万年前的元谋直立人牙齿，1975 年在云南省开远县（今为开远市）和禄丰县（今为禄丰市）发现了古猿化石，这种最初定名为拉玛古猿的化石出土的褐煤层，距今有 800 万年的历史，处于中新世晚期到上新世早期。这种古猿最带有人的性质，被称为"尚不懂制造石器的人类的猿形祖先"。在元谋县班果盆地也有人超科化石的发现。

读书笔记 •••••••••

结合下文的发现，用自己的话说一说，为什么作者会有这样的观点？

1975 年，中国科学院古脊椎动物与古人类研究所的专家们，到喜马拉雅山脉中段和希夏邦马峰北坡海拔 4100 ~ 4500 米的古陆盆地考察，发现了时代为上新世的三趾马动物群。除三趾马外，还有鬣狗和大唇犀等。从三趾马的生态环境看，那里多是森林草原的喜暖动物。根据地层中的孢子和花粉化石分析，此地曾生长椎木、棕榈、栎树、雪松、藜科和豆科植物，这些都属于亚热带植物。

读书笔记 •••••••••

这些发现能够说明什么？

1966 ~ 1968 年，中国科学院组织的珠穆朗玛峰综合考察队，连续三年在那里进行考察和研究。郭旭东先生发表了论文，认为在上新世末期（200 多万年前），希夏邦马峰地区的气候为温湿的亚热带气候，年平均温度为 10℃左右，年降水量 2000 毫升。喜马拉雅山在上新世时海拔约 1000 米，气候屏障作用不明显。这些条件都适合古人类的生存。我在 1978 年出版的《中国大陆上的远古居民》一书就这样表述过，"由于上述的理由我赞成'亚洲'说，如果投票来选的话，我一定投'亚洲'的票，并在票面上还要注明'亚洲南部'字样"。

关于人类起源的时间也是大家最关心的问题。人是由猿进化来的，已经没有疑义了，那么人猿相区别是在什么时候呢？人是与猿刚有区别的时候就应该叫人了，还是从能制造工具的时候才算是人呢？

周口店"北京人"被发现之后，人们才知道人已有 50 万年的历史了。随着对"北京人"使用的工具——石器的深入研究，我们发现它们的加工很细，"北京人"不但能选用石料，还能分出各种类型，这证明"北京人"因用途不同而会打制不同类型的石器。再有，在"北京人"遗址发现了灰烬，而且成堆，里边还有被烧烤过的石头和动物骨骼，这证明"北京人"不但已经懂得使用火，而且还会控制火。

这些进步都不可能在很短的时间内认识到或者做到，必须经过很长时间的实践和总结。因而我和王建先生提出了"北京人"不是最原始的人的论点，并发表了《泥河湾期的地层才是最早人类的脚踏地》的短论，引起了长达四年之久的公开争论。

随后发现的元谋人、蓝田人化石，和西侯度、东谷坨、小长梁等地的石器，都被证明，它们比"北京人"早得多，已有 100 万～180 万年的历史。就文化

读书笔记•················
你认为最原始的石器是怎样的呢？

遗物——石器而言，目前发现的石器都有一定的类型和打制技术，当然不能代表最原始的技术，但目前谁也不能肯定地说出最原始的石器是什么样。现在，发现又有了最新进展，在四川省巫山县（今属重庆市）的龙骨坡发现了200万年前的石器，在安徽省繁昌县（今芜湖市繁昌区）一带也发现了240万年～200万年前的石器。

我在1990年发表的《人类的历史越来越延长》一文中说过："……能制造工具的历史已有400多万年了。"说来也巧，这篇文章发表后不久，美国人类学家就在非洲发现了400多万年前的人类化石。

名师批注

下定义——"重叠现象"出现在人类发展的各个阶段，导致学者们对人类演化过程的研究难度加大。

人类在演化过程中的重叠现象是非常复杂而又十分棘手的问题。人在演化过程中并不是呈直线上升的，而是原始与进步同时并存的，我把它叫作"重叠现象"。这种表现最为显著的是，辽宁省营口市发现的"金牛山人"和周口店发现的"北京人"相比，"金牛山人"比"北京人"要进步得多，属早期智人。而"北京人"生活的年代是70万年～20万年前，在这段时期内，"北京人"的体质变化不大，这就说明先进的"金牛山人"出现的时候，落后的"北京人"的遗老遗少们还仍然生存于世。他们之间可能见过面，也可能为了生存彼此之间还打过架。这种重叠现象，并非仅在中国存在。

读书笔记•················
你还知道有哪些重叠现象吗？请查阅资料说一说。

重叠现象不仅存在于人类演化的过程中，他们遗留下来的石器中也屡见不鲜。过去我在华北工作的时间较长，把华北的旧石器文化划分为两个系统，这是按照石器的大小和使用的不同而划分的。在广大的国土上是否有其他系统和类型？答案是肯定的。因为人类有分布，文化有交流和交叉。

在河北省阳原县小长梁发现的细小石器，制作精良，最小的还不到1克重。这些石器能与欧洲10万年前的石器媲美。1994年，中国科学院地球物理研究所专家用先进的超导磁力仪测定，小长梁遗址距今为167万年。虽然这为我提出来的"细石器起源于华北"增加了证据，但石器之小，打制技术之好，年代之久远，令人惊叹。那么，是什么人打制的呢？仍是令人百思不得其解。

以上三大问题，是21世纪古人类学者和旧石器考古学者面临的重大课题。不是外国人说什么就是什么，也不是一两个"权威"就能说了算数的，这是全世界这门学科的学者所面临的课题。既然如此，就应该展开国际合作，特别是培养更多的年轻人参加到这门学科的研究队伍中来，他们思想开放，更容易掌握先进技术和方法。要解决这三大课题，古人类学者和旧石器考古学者任重而道远。

保护"北京人"遗址

我是从发掘周口店起家的，我的成长、事业、命运都与周口店紧紧地连在一起。没有周口店，也就没有我的今天。青少年朋友可能不知道有我这个贾兰坡，但一定会知道周口店"北京人"遗址，这在课本上都会学到的。在周口店"北京人"遗址里，发现古人类和古脊椎动物化石材料之多、背景之全，在世界上是首屈一指的。很多科学论著、科普文章、教科书

名师批注

设问——中国的石器还有许多的系统和类型在等待我们去发现，在作者的一问一答之间，引发读者思考，也给予了读者肯定的答案。

读书笔记
从这句话中你懂得了什么？请用自己的话说一说。

名师批注

抒情——周口店对于作者来说，有着非常重大的意义，这是他呼吁人们保护周口店的一个重要理由。

名师批注

议论——周口店对于学界来说，也有着独特的意义，从这个层面来说，我们也不能放弃对它的保护。

以及一些报纸杂志在论述人类起源问题时，不论是国内的还是国外的，都会提及周口店。这也说明了周口店在研究人类起源问题上的重要位置。

名师批注

叙述——从周口店被发现以来，人们对它的意义有着充分的认识，并且给予了它许多荣誉。

1987 年，联合国教科文组织将周口店"北京人"遗址列入《世界遗产名录》。1992 年，北京市政府把周口店"北京人"遗址列为北京青少年教育基地。同年，它又被评为十大旅游景点之一。1993 年，在第七届全运会上，我亲手在这里点燃了"文明之火"的火种，它与"进步之火"在天安门广场汇合，象征着中华民族的文明与进步日益腾飞。

到 1999 年的 12 月 2 日，"北京人"第一个头盖骨的发现已经 70 周年了。自从敲开了"北京人"之家的大门后，"北京人"遗址有了它非常辉煌的时期，而如今由于经费不足，无力保护和修缮，使第 1 地点、山顶洞、第 4 地点、第 15 地点都受到了不同程度的损坏。

名师批注

引用——人们给予了周口店很多荣誉，却没有付出行动保护好它，让它受到冷落，并无情地败落了。

有人在著述中很形象地比喻说："它就像人们迁入了现代化的公寓后，无意再光顾昔日的竹篱茅舍一样受人冷落。"有人在《光明日报》上撰写文章说，周口店遗址以厚厚的尘埃和萧条陈旧的衰落之态呈现于世人面前。1988 年，联合国教科文组织在中国考察了几处文化遗产，指出周口店遗址比起故宫、长城、秦俑、敦煌，是目前保护最差、受损最严重的一处。

名师批注

抒情——周口店见证了人类发展的重要一环，人类的进步在这里可以被直观地看见，这样的地方，我们不能让它再次被掩埋。

随着社会的进步，科学的发展，现代文明越来越被人们接受。我们古老的祖先——"北京人"早在 50 万年前，就学会了打制各种类型的石器，特别是学会了用火，并能控制火。他们也在创造文明。我们绝不应该忘记。

我曾多次著述和呼吁，要保护好这个世界文化遗产，希望有识之士像 20 世纪 30 年代的洛克菲勒基金会一样资助周口店。可喜的是，党和政府正在着手做这方面的工作。1996 年，联合国教科文组织、中国科学院、法中人种学基金会联合召开了"修复世界文化遗产——'北京人'遗址"方案论证会。论证会十分成功。有关部门将着手拨款在周口店修建一个世界一流的古人类博物馆，抢修第 1 地点和山顶洞的方案也在筹备之中。

我常想，若要把这门学科世世代代传下去，就要向青少年普及这方面的科学知识，使青少年能够产生对这门学科的爱好。既然周口店是青少年教育基地，那么，除了保护好它之外，在有条件的情况下，在遗址周围还应该仿照 50 万年前的情景，种上树木和草丛，塑造出正在打制石器、狩猎、采集果实、使用火的"北京人"，逼真地再现"北京人"的生活场景，使参观者一走入"北京人"遗址的大门，就仿佛倒退到 50 万年前。这样，"北京人"遗址会越来越受到人们，特别是青少年的喜爱，会成为真正的教育青少年的基地。青少年对这门学科产生了浓厚的兴趣，就会有更多的青少年加入这门学科队伍中来，这门学科有了新鲜的血液，就会更有活力，就能有更加快速的发展，也就能再现新的辉煌。

读书笔记 •·················
你认为应该怎样布置这些场景？请画出你的设计图。

读书笔记 •·················
作为青少年，你可以为保护周口店做些什么呢？

名师精华赏析

在这一章中，贾兰坡先生一生最大的成就被他用朴素的语言娓娓道来，让我们了解到原本遥不可及的人类起源演化过程以及相关知识。而贾兰坡先生这样做的目的，是因为他看到了中国朝气蓬勃的青年人，想要将这一份知识与热爱传递下去，让这些充满着无限希望的青年人创造出一个更加强大的中国。这份心意，谁能忍心辜负呢？

积累与运用

💡 好词

无辜　瑰宝　曙光　借鉴　久远　谩骂　信服　分歧　鼓舞

蔓延　崛起　欣欣向荣　开天辟地　顶天立地　不得其解

包罗万象　不屈不挠　面红耳赤　来之不易　兢兢业业

一筹莫展　前所未有　吃苦耐劳　分道扬镳　功夫不负有心人

💡 佳句

卞美年第二天早晨急急忙忙地跑去找魏敦瑞，魏敦瑞还没起床，听到消息后，从床上跳了下来，连裤子都穿反了。

对待科学的态度，我认为人的头脑要围着事实转，不能让事实围着自己的头脑转。对的就要坚持，不管你面对的是外国的权威，还是中国的权威。错了就要坚决改，不改则会误人、误己。

因为人类有分布，文化有交流和交叉。

有人在著述中很形象地比喻说："它就像人们迁入了现代化的公寓后，无意再光顾昔日的竹篱茅舍一样受人冷落。"

美文仿写

本章中，作者以自己的朴素语言为我们打开了人类起源研究的大门。原本深奥枯燥的学科理论，却在作者的笔下，以生动的类比展现出来，通俗易懂、充满趣味。而在我们的学习过程中，肯定也学过不少的定理，请你仿照下面的文段，以生活中常见的现象来说明你学过的一个定理。

有一位科学家打了一个通俗的比喻，如果把地球的历史比作一天的 24 小时，那么 1 秒相当于地球历史的 5 万年。按现今的发现，把人类的历史按 300 万年计算，人类的出现只相当于 24 小时的最后一分钟。

_____

_____

_____

_____

_____

_____

_____

知识大宝藏

"北京人"遗址是世界上出土古人类遗骨、化石和用火遗迹最丰富的遗址，而"北京人"是世界上资料最齐全的直立人。那关于"北京人"

你又了解多少呢？今天就请你来当一当考古学家，根据下面"北京人"的相关信息，说一说他们与现代人还有什么相同和不同。

1. 体质特征——颧骨高突，平均脑量为 1043 毫升；身材粗短，男性平均身高为 162 厘米，女性平均身高为 152 厘米；面部较现代人稍短，而向前伸出，前额低平，鼻子宽扁，眼眶上缘有两个互相连接的粗大眉骨，嘴部前伸，牙齿粗大，上下颚骨向前突出，没有下额。

2. 生活环境——当时"北京人"生存的地区有大片森林和水域，气候温暖湿润，常有动物出没，如梅花鹿、野马等。那时的周口店一带，深林茂密，野草丛生，猛兽常常出没。

3. 生活方式——"北京人"使用的是天然火，所谓的天然火不是指人工取的火，而是打雷正好击中干燥的木头，点燃了火，又或者是火山爆发和森林火灾。他们用石块、兽骨和鹿角等材料制作各类工具，使用这些工具猎取动物，采集植物果实。那一时期他们用火烤东西吃，晚上睡火边，这样可以取暖，还可以赶走野兽，因为野兽怕火。

第一章　真题演练

一、填空题

1. 脊椎动物化石其实也就是老百姓经常说的"＿＿＿＿＿＿"。

2. 在人类起源问题上，1859 年，英国生物学家查尔斯·达尔文发表了《＿＿＿＿＿＿》一书，提出了生物进化理论。

3. 尼人是介于直立人与现代人之间的人类，被称为"＿＿＿＿＿＿"。

4. 从打击石片上来看，中国猿人至少已能运用三种方法，即＿＿＿＿＿＿、＿＿＿＿＿＿、＿＿＿＿＿＿。

5.1974 年在埃塞俄比亚的哈达地区找到了一具保存达 40% 的骨架遗骸。这是一种十分矮小纤细的南猿，被称为"＿＿＿＿＿＿"。

6. 制陶工艺在＿＿＿＿＿＿年前开始出现，而陶器的出现要晚＿＿＿＿＿万年左右。

7. 根据作者个人的观点，人类的历史已经有＿＿＿＿＿年了。

二、简答题

1. 第四纪的重要标志是人类的出现，而随着新发现的不断出现，第四纪开始的时间也在不断变化，请简要总结一下变化的过程。

2. 贾兰坡先生对青少年们寄予了厚望，而我们作为新时代的青少年，我们应该怎么做，才能不辜负贾兰坡先生的期望呢？

参考答案

一、填空题

1. 龙骨

2. 物种起源

3. 早期智人

4. 摔击法；砸击法；直接打击法（锤击法）

5. 露茜少女

6. 2.8万~2.4万；1.4万

7. 400万

二、简答题

1. 第四纪起始年代定为距今约60万年。随着"爪哇人"被承认为直立人阶段的古人类，而且年代比"北京人"还要早，国际地质学会1948年在伦敦的会议上，将第四纪起始年代改为约100万年前。到了20世纪60年代，超过100万年的古人类化石又不断地有了新发现。第四纪起始年代又前推到了200万年~150万年前。近十多年，非洲大陆不断地有更早的人类化石发现，第四纪起始年代又推到300万年前。

2. 结合生活实际说一说即可。如：积极参加科普活动，多去了解人类起源的知识，培养对这一学科的兴趣等。

第二章

悠长的岁月

📏 名师导读

　　贾兰坡先生的一生都与周口店紧密联系在一起，成就了彼此的精彩。但是我们要知道，贾兰坡先生作为一名高中毕业生，究竟是什么让他能够与周口店相遇？又是什么让他最终走上了学术之路，成为与周口店密不可分的一部分？这一切的答案，贾兰坡先生并没有吝啬，放在了他娓娓道来的一生中，让我们一起去寻找答案吧！

我的童年

　　1908年11月25日，我出生在河北玉田县城北约7千米的小村庄——邢家坞。这个不足200户的村子，北临山丘，南望一片平原，土地贫瘠，村民的生活比较贫困。

　　据坟地碑文记载：我们贾家原籍河南省孟县（今孟州市）朱家庄，在明代初期才迁移到邢家坞。

　　听老一辈人说，我的曾祖有兄弟二人，大曾祖父没有儿子，按我们家乡当时的规矩，需要把我二曾祖父的长子，即我的大祖父过继给大曾祖父。我的二祖父也没儿子，又从我祖父一门中把我的父亲过继给二祖父。由于生活困难，在我很小的时候，我的父亲就

> **名师批注**
> 背景介绍——作者童年时居住在一个贫穷的小村庄，呼应了本节标题，并引出下文。

只身到北京谋生。

我们村里有个叫宋竹君的，据说他是从燕京大学的前身——汇文大学（后改为汇文中学）毕业的，在北京英美烟公司任高级职员。经他介绍，我父亲也进了英美烟公司。父亲本名贾连弟，号荣斋。他的工作部门叫"调换处"，实际上是做一种广告性质的工作。人们只要能集到一定数量英美烟公司出品的香烟空纸盒或烟盒内的画片，就可以到调换处换取挂历、成套茶具及小玩意儿等物品。

由于工作渐渐有了起色，人来人往逐渐增多，人们都习惯称父亲为荣斋，而他的本名反而没人叫了。当时父亲每月薪水18元，他自己省吃俭用，每月需花8元，其余10元就托人捎回老家，家中的日子自然好多了。

我家村后的东山上有两个山洞，一大一小，我常常跟着其他小孩到小洞里探洞玩。大洞深不可测，我们从不敢进去。有时将石头打成圆球，从山上往下滚着玩。想不到这在以后的工作中，对发现石球的打制过程和用途也有着很大的帮助。

在村北的小山下，还有一条南北向的细长的水坑。这也是我们孩子常常来的地方。我们就在坑里洗澡、打水仗。我还常常到地里逮蝈蝈、捉蜻蜓和小鸟。鸟类中，我们最喜爱"红靛颏"或"蓝靛颏"，凡是我们网着的鸟，除了这两种，其余统统放生。当然我们小孩之间，也常常为逮鸟打架，母亲只是拉开了就完，最多打几下屁股。她不许骂人，骂人准挨一顿掸把子。

我外祖母家在门庄子，位于邢家坞村和玉田县城

名师批注

叙述——父亲在外工作也想着家人，为家人付出，这份责任是每位父亲应当承担的。

名师批注

动作描写——在这个小山村里，作者和自己的小伙伴开心热闹地玩耍，充满欢笑。

读书笔记

为什么母亲不许作者骂人？

之间，地处平原，风光秀丽，是个 200 多户的村子。外祖母住在村前街的西头路北，家中有五间北房。东侧有条路通往后街，小路东边有个数十米长、直通南北街的大水坑，水坑大小东西有三四十米。前街路南有一块菜园，冬季多种大白菜，夏天除种各种蔬菜外，还种甜瓜、西瓜等。我也非常爱去外祖母家，除了有水坑可以游泳外，更因为那块很大的菜园子里有很多好吃的瓜果和蔬菜，比邢家坞的菜多了很多，何况还有一个比我大 13 岁的表兄，他常带我去水坑里摸鱼和捉螃蟹，又好玩又能解馋。

　　大约到了 7 岁，我在外祖母家开始上学了。当地没有学校，读的是私塾。所谓私塾，就是在老师家上课。老师教几个学生，屋里没有课桌，只有个方桌，炕上放个炕桌而已。教的是《三字经》《百家姓》《千字文》。我还记得，老师叫谷显荣。每天进老师家中后的第一件事，就是向孔子牌位行作揖礼，然后各就各位，背书或描红模子。学完了三本小书，又学了半本《论语》，谷老师因病去世了。我又到邻村跟一位叫李小辫的老师学。当时已是民国，但他还是清朝打扮，留着辫子，所以当地人都叫他李小辫，而不知他的大名。他对学生管得很严，背书背不下来或背错了，都要挨掸把子。他给我们讲的课文，我们听了虽然有时似懂非懂，但因怕挨打，背得都很熟。所以到现在什么"一去二三里，烟村四五家，亭台六七座，八九十枝花""松下问童子，言师采药去。只在此山中，云深不知处"，还仍然记得清清楚楚。

　　大约到了 8 岁，读完了《四书》，又读了点《诗

名师批注

环境描写——作者小时候在外祖母家居住，条件还是不错的，作者总能在其中找到不同的乐趣。

读书笔记 ·················

当时为什么要向孔子牌位行礼？

经 》，我的外祖母也去世了。此时邢家坞也有了私塾，我又返回自己的家继续读书。

应该说，我识字的启蒙老师是我的母亲。我的母亲戴明，虽未上过学，但聪明而知晓大义。村里有个叫王雍的老头，识字最多，看的小说也多。每到夏天，大家在一起乘凉，都会叫王雍讲故事。母亲常把听来的故事再讲给我听，都是一些"岳母刺字""精忠报国"之类，母亲一边讲一边教导我要学好人，不要做坏事。后来母亲对小说也着了迷，就借来看，不认识的字和不懂的地方就请教王雍，天长日久，也认识了很多字，就是不会写。到后来，她连不带标点的木版印刷的小说也能看得懂了。

父亲在北京做事，家里有了活钱，生活自然好多了。母亲要求我穿戴不能与其他孩子有区别，我只比别的孩子多件内褂和内裤，外表仍是粗布衣裤。别人家的孩子在玩的时候都背着扒篓，边玩边拾柴，母亲也叫我背一个，不要求拾多少柴，就是不能比别人家的小孩有特殊感。这对我影响很大，以致后来，我对待他人，不管职位高低，都能一视同仁，这不能不说是母亲当年教育的结果。

虽然父亲每月捎钱来，但家里平时的早饭仍是玉米渣粥加咸菜，午饭和晚饭是玉米面贴饼子加上一锅菜，有时是小米饭。当然过节和有客人来时就不一样了。有时为了给祖父下酒，母亲会炒个菜，祖父总想叫我一起吃，母亲反对说："小孩子家，吃喝时间长着呢！不在这一口两口。"过年时，客人给的压岁钱，都得如数上交，母亲又说："孩子花惯了钱对他一点好处

名师批注

叙述——母亲给作者讲故事，教导作者要学好人，可见她对作者是充满期盼的。

读书笔记 ·············

为什么母亲要求作者不能与其他孩子有区别？

名师批注

叙述——正是母亲的教导，让作者成为一个母亲期盼的好人。母亲的言传身教，对于孩子来说是十分重要的。

也没有。"但过年的新衣、新鞋，母亲总是早早就做好了，当然还有灯笼、鞭炮之类的玩意儿。所以过年是小孩子最盼望的了。

我的童年是在农村度过的。虽然家境不是很宽裕，但童年的生活非常愉快，无忧无虑。至今我还常常回忆起那时的情景。

断断续续的学校生活

我13岁那年，正赶上直奉战争，奉军溃败，逃兵很多。他们仨一群俩一伙，到处抢劫，用他们的话说："打是米，骂是面，不打不骂小米干饭。"

在这兵荒马乱的年代，我父亲对家里很不放心，他抽时间回到家里探亲，一路上看到的和听到的都使他胆战心惊。他决定不在乡间久留，便雇了两辆骡子拉的轿车（即车上装个布围子），带着我的祖母、母亲、姑母、我及妹妹一起，到北京暂时躲避。轿车每辆可乘四人，乘一人或乘四人都需花4块银圆（旧时使用的银质硬币，圆形，每枚一圆。也作银元）。平常从老家到北京需两天的时间，这次走了三天，因为怕碰上逃兵，我们有时只好绕着道走。途中的栈房（能停车辆的小旅店）都被兵占据，我们也只好借宿到百姓家里。当时的百姓家对往来客人借宿都很热情，供吃供住，但不当面收钱，客人要给钱也得给小孩，借给小孩买吃的为名，还了这份人情。否则人家说"我家不开店"，叫你下不了台。

进了朝阳门，到了崇文门外翟家口恒豫隆丝线店，已是掌灯时分。当时北京大多数人家还没装电

读书笔记
你的童年是怎样过的呢？请分享一到两个令你印象深刻的故事。

名师批注
背景介绍——在动乱的年代，不仅有外敌，也有不少的内乱，老百姓深受其害，苦不堪言。

名师批注
叙述——即使是在战争面前，人们也没有失去淳朴的天性，这一点温暖实在是令人感动。

灯，用的都是煤油灯。

我们的落脚处是父亲在我们来京之前预先托朋友找好的，这原是一家闲置的店铺，托恒豫隆代为照料。我们只占用了五间朝东的正房，其他房间还闲在那里。当时的人很迷信，住房子要看了风水才能决定，特别是作为买卖用的铺面房。我们临时租住的这家房子，因有人说里面不干净，闹过鬼，房子很难租出去。租不出去，还要花钱雇人看管，房东当然愿意有人租这房子住，这样能证明里面没有鬼；我父母又是不信神不信鬼的人，即使旧历年节也没烧过香或祭过灶王爷。这事对双方来说当然都是再合适不过了。

读书笔记 ⋯⋯⋯⋯⋯
当时的人们为什么会如此迷信？

这时，我父亲辞去了英美烟公司的工作，在前门外打磨厂集资开了一爿商店——义兴合纸烟店。店子的主要股东是义兴合钱庄，经理是个叫史冠德的山西人。纸烟店就在钱庄的东隔壁。

虽说父亲辞去了英美烟公司的工作，与别人合伙开了纸烟店，但并没有完全脱离英美烟公司，仍专负责批发英美烟公司出产的纸烟。当时这类烟店，京城共有四家，分布在北京四个区，每区一家专卖店，出售不许越界。当然父亲的薪金也比过去多了，年终还能分到红利。

名师批注

叙述——父亲的薪金比过去要多，但是父母没有娇惯作者，还是一如既往地让他习惯贫苦的生活，真是可怜天下父母心啊。

在北京待了半年之久，地方上已经平静，老家的叔叔来京接我祖母等人回家。我母亲陪着祖母、姑母及妹妹一行人又返回了邢家坞。

妹妹贾英伯在家时也读了很多书，且非常聪明，把《诗经》背得很熟。她本想留下来和我一起在北京读书，但因家人一走，我父亲就把原租住的房子退掉了，在纸烟店我们爷俩合着住，妹妹留下来挤在一起不方便，所以她就和母亲一起返回了老家。

母亲走后，我和父亲住在纸烟店里，和店里的伙计一起吃饭。父亲把我送到打磨厂小学读高小。国文（即语文）对我来说没有问题，但数学就困难了。我在老家从未接触过阿拉伯数字，学起来非常吃力，有时还涉及地理以及物理、化学等知识，弄得我一点信心也没有，越学越没兴趣，最后还是离开了学校，于是父亲请了一位先生在家为我补习。

读书笔记·················
在你的学习过程中有没有出现相似的情况呢？你是怎样解决这个问题的？

父亲每天外出，我一人在店里，除了补习功课外也没其他事情可做，自己也不敢外出去玩，很是寂寞，就这样度过了一年多。这一年正赶上崇文门内以东的汇文高等小学校招生，父亲领我去投考，虽然除国文外其他各科较差，但经过一年多的补习，我居然被录取了。我心里明白，这只是凭着运气，而不是凭着学到的知识。果不其然，第二年就留了级。对我来说，留级不是什么坏事，从头再开始，学起来就省力多了。课能听得懂，成绩跟得上，学起来就感到有味道，我就这样一直在汇文学校到1929年高中毕业。

读书笔记·················
为什么作者会这样觉得呢？

由于时间久远，汇文的住宿费记不清了，但我还记得伙食费分两种：一种伙食费较高，当然吃得也好，大约每月6块银圆；另一种次一点，粗粮较多，平时菜里很少有肉，只到星期天改善一下伙食。我记得伙食费是父亲领我去交的。收费人说："差不了几个钱，还是叫孩子吃好的吧。"我父亲说："还是次一等的吧，不在乎几个钱。小孩不能惯，不能叫他与别人家攀比。"我心里虽不愿意，也只好听从。

名师批注
语言描写——父亲与母亲一样，都希望作者可以成为一个能吃苦的人，这是夫妻之间的默契。

当然这为我以后不挑吃喝，对在野外吃好吃坏不以为意打下了基础，这也不能不说是父母苦心教育的结果。

考上练习生

母亲回到老家后，祖父、祖母相继过世。这时我正在汇文读高小。北京四个区的英美烟公司的买办王兰（字者香）在骡马市一带建了一家独营店。我父亲又回到了英美烟公司（后改为颐中烟公司），职务为"段长"，比在调换处高了一等。工作是了解市面上的纸烟销售情况，招揽广告生意，每月的收入达到了四五十元。此时我父亲在崇文门外南五老胡同也租了房子，因为没人照顾，就把母亲从老家接了来。我当然也不用住校了，回家来住不但能吃得好，也能省几个钱。

父亲的收入虽然增加了，但应酬也多了起来，每月收入所剩无几。我读到高中毕业，父亲没钱供我上大学了。此时我正当 21 岁，由父母做主结了婚。妻子叫王栖桐，与我同岁，是玉田县青庄坞人。她人品好，为人热诚。由于在农村长大，没机会学习文化，虽然很聪慧，但底子差，读书很吃力，她的兴趣也越来越没有了。但她一生中担负起了照顾公婆和子女的重担。

我在北京上学，学到了很多知识，开阔了眼界。当时，几位大文学家提倡白话文，虽然有不少人反对，但白话文还是逐渐占了上风。同时，新的思想也起来冲击旧的封建思想。旧式的婚姻，我是反对的。我和妻子之间没有感情基础，再者当时我还没有工作，不曾立业，结婚生儿育女就会加重父亲的负担，所以我极力反对这门婚事。但母亲为此哭过几次，最后我也只好投降。

婚后一年多，我的大女儿出世了。家里添了人口，虽然大家都很高兴，但我心里更加着急，总为自己不能挣钱养家而觉得心中有愧。

我的一位中学同学曾要我跟他一起到外地报考邮政局的工作。我思想上有点活动，但母亲听说后，坚决反对，我只好作罢。怎么办呢？这时我只想多学点知识，等待出路。于是，从1930年起，我经常去图书馆看书。

北京图书馆内无偿地供给白开水，有时我带着馒头夹咸菜，一去就是一天。开始看书没什么规律，逮住什么看什么，后来对《科学》《旅行杂志》之类的有关自然科学方面的杂志和书籍越来越感兴趣。我不但看，还把感兴趣的地方抄录下来，有时也到旧书摊去浏览，看到便宜的书也会买回来。我把看过的书都认真做了笔记，不知不觉，一年下来也学到了很多东西。

玉田县狼虎庄有位名高焕字灿章的人，是我的表弟。他经常来北京，每次来都住在我家里，几乎成了我家的一员。我的孩子也很喜欢他，因为他一来京，就常带孩子们出去玩。崇文门瓮圈的内侧有一家恒兴缸店，是他经常光顾的地方，因为他在这家缸店有股份。恒兴缸店的掌柜姓裴，就是1929年12月发现第一个"北京人"头盖骨而闻名于世的裴文中先生的侄子。虽然裴掌柜辈分小，但岁数不小，比裴文中年岁大得多。裴文中先生也常去缸店串门，和我的表弟时常见面，彼此很熟。

名师批注

心理描写——作者已经成家，但是不能养家，内心自然十分焦急，对家人也充满愧疚，为下文中作者出去找工作做了铺垫。

读书笔记 •·············
从作者的读书方法中，你学到了什么呢？

读书笔记 •·············
在你家有没有这样的现象？

1931年春，他们在缸店又见面了。他们一边喝茶，一边聊天，闲谈中，我的表弟提到我闲在家里没事可做，只闷头读书。裴文中一听，说："中国地质调查所正在招考练习生，不妨叫他去试试。"高焕回来一说，全家都很高兴，因为这样既有了工作，又可以不出北京。

我风风火火地跑到了西四兵马司9号的中国地质调查所报了名。考试那天，主考的是地质陈列馆的负责人徐光熙先生。不承想我在家中自学的知识竟派上了用场，我以优异的成绩被录取了。

上班后，我被分配到新生代研究室做练习生。和我同时来到新生代研究室的还有一位青年卞美年先生，他长我半年，是燕京大学的毕业生，学的是地质和生物。他是由他的老师——英国地貌学家、燕京大学教授巴尔博介绍来的。他是练习员，我是练习生；他是大学毕业，我是高中毕业。他的学历和职称都比我高，但他为人厚道，平易近人，我们很快就熟识了。在以后的工作中，他处处帮助我，指导我。至今我俩还是非常要好的朋友。

当时新生代研究室有两处工作地点：一处是西四兵马司9号；一处在东单北大街路西的北平协和医学院娄公楼106室和108室。106室是裴文中先生的办公室，108室除杨钟健先生外，还有十几名工人在修理化石。上班那天，我俩先见了杨钟健和裴文中两位先生。他们言谈很和善，没有什么架子，使我们紧张的心情松快了许多。

上班初期，我们没有一下子进入工作，因为杨钟健叫我俩先和大家认识认识，熟悉一下工作环境。每天上午，杨、裴都要到西四兵马司去。

一天，我和卞美年正在娄公楼 108 室聊天，卞美年给我讲古代生物化石的知识。这时，一个身材矮小、身着长袍的人走进来，他在屋内转了一圈就走了。我俩不认识他，也没有跟他打招呼。

第二天，杨钟健见到我们，说那是所长翁文灏，他叫我俩明天上午去见他。我和卞美年心里一惊，感到对所长失了礼，心里直打鼓。

这天上午，我俩按时来到了西四兵马司 9 号中国地质调查所，杨钟健已在那里等候我们。杨钟健是新生代研究室的副主任，是我俩的领导。他把我俩领到二楼东南角翁所长办公室的门前，先带着卞去见所长。我在门外等候，心里就像十五只吊桶打水——七上八下，怎么也控制不住。没多久，卞美年出来了。由于翁所长有事，改在下午召见我。我问卞美年："所长跟你说了些什么？""他就问我学什么的，认不认识角砾岩。我说认识，我是学地质的。他又问了一些地质学上的问题，我都回答了。别的没再问什么。""提到前天上午在办公室我们为什么没理他这件事了吗？""没有，他说地质调查所添丁加口是好事，所以他要接见我们。"下午，翁所长召见了我。见面时，我仍然很紧张。翁先生先问了我家里的情况，我一一如实回答了。最后他问："这种工作很苦很累，你为什么要干这个呢？"我不假思索地说："为了吃饭。"翁所长听后，忽然大笑了起来："说实话好，好好干吧！"召见很快就结束了。谈话虽然很短，不承想，翁的一笑，决定了我的终身。

第二天，裴文中通知我们回家准备好自己的行李。两天后，卞美年和我还有王存义先生就随裴文中去了周口店。我的工作也正式开始了，那就是协助裴文中在周口店做发掘工作。

初到周口店

周口店虽然离北京城只有 50 千米，但当时交通极为不便，要从前门西火车站乘火车到琉璃河下车，再等候开往周口店的"山车"。所谓山车就是周口店往外运煤或石头的火车，其开车时间不固定，时有时无。如果一天等不来，还要在琉璃河车站附近的小店住上一夜，第二天再等。

那天，我们几个人乘火车到琉璃河，下车吃了顿饭，后每人改乘一头毛驴，晚上八九点钟才到达周口店的办公地点"刘珍店"，真是起个大早赶个晚集。

从前，在周口店进行挖掘的人都住在周口店北面的一座小庙里，如瑞典地质学家和古哺乳动物学家安特生、步林和中国地质学家李捷等。大概是 1928 年，杨钟健和裴文中参加这一工作后，感到小庙里地方太狭窄，又时常有客人来参观，无处可住，于是裴文中以每月 14 块银圆的价格向刘珍租赁了一处骆驼店，用于居住和办公，这就是我们称为"刘珍店"的地方。

刘珍店的房子很破旧，北房三间较大一点，东西有厢房四间，北房的东间是准备给客人们用的，东西厢房为技工和放置标本用。床就是行军床，三下五除二就支好了，放上被褥就能睡觉。

第二天我们就准备了发掘的工具和其他各项工作。一切就绪，只等开工。三天后，新生代研究室的头头们来到了周口店。他们是名誉主席、加拿大古人类学家、北平协和医学院解剖科主任步达生，顾问、法国神父、古脊椎动物学家德日进和副主任、中国古脊椎动物学家杨钟健。他们是来商量发掘的地点和任务的。我和卞美年初来乍到，什么也不懂，只好听着。

他们商量来商量去，决定发掘鸽子堂内的堆积——含脉石英1层和脉石英2层。

周口店火车站以西有两座东西并列的小山。<u>东边的一座叫"龙骨山"，西边的山较大，但没有洞穴，后来这里是杨钟健、裴文中、尹赞勋先生的墓地</u>。南北方向有个裂隙堆积，在其中的红色土中发现了哺乳动物化石，我们将此地编号为第2地点。<u>龙骨山三面为群山所围，东南望去，豁然开朗，是一望无际的河北大平原</u>。我们所要发掘的鸽子堂位于龙骨山的东北角，是个山洞，因里边栖息着许多野生鸽子而得名。

鸽子堂内的堆积主要有两层，上面的叫石英1层（也称Q1），下面的叫石英2层（也称Q2）。这两层很松软，挖掘起来很容易，土虽然很潮湿，但不粘手。用铁铲和铁钩小心翼翼地挖，得到的化石很多。Q1和Q2靠近北洞壁处，灰烬层很厚，往南和往东比较薄。<u>裴先生告诉我们，灰烬层是灰黑色的，层内有很多用脉石英和砾石人工打制的石器，还有被烧而裂开的骨块和石块，它们都很重要。</u>

由于挖掘很容易，得到的材料也多，每天能装满几大筐抬回办公室。晚饭后，王存义和技工柴凤山等

读书笔记
为什么三位先生会被安葬在这里？

名师批注
环境描写——龙骨山环境闭塞，在这里工作相当于与外界隔离，但是学者们甘之如饴，这份热爱是十分纯粹的。

名师批注
叙述——在作者挖掘的过程中，裴文中先生对他们进行教导，可见他对练习生的关心，栽培。

读书笔记 •

作者认识到的发掘工作的意义是什么？结合下文内容说一说。

读书笔记 •

为什么作者对挖掘最有兴趣？

用鬃刷将化石刷洗干净，再分门别类地收起来。为了多学点东西，我也加入了刷洗标本的行列，当然这是出于自愿。

裴先生一再告诉我们，灰烬层和在灰烬中发现的石器很重要。经过中国地质调查所化验和德日进拿到法国化验，发现灰烬层确确实实是灰烬。灰烬层中发现的裂开的石块和骨块也是燃烧的结果。石块和骨块经过火烧可以开裂我相信，但有些石块愣有人说是人工打裂的石器，我就蒙头蒙脑了。在刷洗这些石器时，我格外注意。特别是 1931 年法国人步日耶（H.Breuil 1877—1961）来华以后，我更认识到发掘工作的意义。

1931 年，巴黎人类学古生物学研究所高级职员、法兰西大学史前学教授步日耶来华观看了周口店发掘出来的标本，他不仅完全承认所发现的石块是古时人工打制的，还认为其中的许多鹿角和碎骨中有的也是经过人工打制的骨器，这些都是四五十万年前人类的遗迹。我听说后很吃惊。

练习生的地位在研究部门里是最低的，但仍属"先生"行列，能和各级领导同桌吃饭。除了这些，受苦受累的活都是我的事：买发掘用的物品；与来访的学者到各处看地质；他们采下的标本，装在背包里，叫我背着；我还要和工人们一起挖掘化石。

对于挖掘，我最有兴趣。开始时我什么都不懂，挖出了化石就向工人请教。他们会告诉我：这是羊的，这是猪的，那块是鹿的。认识的化石越多，我就越觉得发掘工作有意思。我跟着专家学者在山上到处跑，查看地质，累是累，但时间一长，从他们那里也学到了很多地质方面的知识。

特别是卞美年，他一有闲暇，就带着我在龙骨山周围看地质，不但给我讲解地质构造和地层，还教我如何绘制剖面图。他待我非常友好，我对他也非常尊敬，我们成了挚友。现在他即使在美国定居，我们也还经常通信。我到美国访问，第一件事就是去看望他，我总是把他看作启蒙老师。裴文中对我和卞美年不懂的地方，也耐心赐教，从不拿架子。我不但敬佩他，也越来越喜欢向他请教。我从他那里也学到了很多的东西。

那时，我每月的工资是25元，后来地质调查所发现工资数目有误，每月应为26元，又给补加了1元。后来，干得好的、工资在50元以下的每月可增加5元；50元以上的，每月可增加10元。能挣到26元，对于我这个刚参加工作不久的青年来说，已经足够多了，何况干得好还有加薪的希望，加之我对发掘工作已产生了很强烈的兴趣，认为能从中学到很多东西，所以我每天都是乐呵呵的，从不叫苦叫累。

杨钟健看我每天忙到晚，没有一点怨言，就对我说："搞学问就像滚雪球，越滚越大。"我一直铭记在心。只是后来我根据自己多年的体会，又在后面加上了一句"不滚就化"。

在周口店工作的时间长了，我才知道裴文中在周口店工作的成绩和贡献非常之大。1929年12月2日，他发现了第一个"北京人"头盖骨，这不用说，周口店这块山场，包括整个龙骨山和它以西小山的一半多，就是经裴文中之手，从当地的鸿丰灰煤厂买下来

名师批注

叙述——作者在周口店进行挖掘工作的过程中，得到了卞美年、裴文中先生的大力帮助，对于他们，作者都充满了感激。

名师批注

心理描写——不论是薪资还是自身的兴趣，发掘工作与作者似乎是"天作之合"一般，作者沉迷于此，对这份工作充满了热爱。

读书笔记 •••••••
对杨钟健先生的话和作者的体会，你有什么感悟？

读书笔记 •••••••
裴文中先生对周口店发掘工作做出了哪些成绩和贡献？请结合下文内容进行总结。

的。原来鸿丰灰煤厂在这里开采石灰岩烧石灰，由于遇到了很多洞穴，洞穴里又有沙土的杂乱堆积，赔了钱而关闭。1927～1928年，李捷和步林到这里挖掘，是向鸿丰灰煤厂租赁的。裴文中后来花4500元把它买了下来，这不但有利于发掘，鸿丰灰煤厂也把损失补了回来，当然这是两全其美。

再有，周口店的发掘工作规模逐渐扩大了。1931年下半年，在裴文中的筹划下，我们花4900元在山上盖了一所北京式的房屋。这是一所三合院的房子，大门朝东，有个门楼，北房三间，西房三大间，南房三间，另外在后院盖了五间，作为技工住房和厨房之用。行军床也换成了铁床。裴文中先生为大家改善了居住条件，人人都非常满意。这与到处跑耗子的刘珍店相比，像进了天堂一样。

我还清楚地记得，搬入新房之后，裴文中住在北房的里间，外面两间是相通的，由卞美年住。西房为宽大的正房，我住在里间，外间也是相通的，作为吃饭和接待来访客人的客厅。周口店的发掘工作，每年只在春秋两季进行。夏天雨水多，发掘现场泥泞不堪，冬季地层冻得很坚硬，发掘时会损坏化石。所以夏冬两季我们回到北京，进行标本的整理和修复工作。

> **名师批注**
>
> 环境描写——在裴文中先生的筹划下，工作人员们住进了环境更好的房屋，如同进入了天堂。

> **名师批注**
>
> 叙述——周口店的发掘工作并不是一味蛮干，而是要根据具体情况而变，以保证发掘工作的质量。

狗骨架和两本书

每到发掘的时候，我们事先到达周口店，把准备工作做好之后，新生代研究室的负责人抵达周口店，与裴文中一起商量发掘地点。待一切敲定了之后，就全盘由裴文中负责调度。

1931 年 9 月，这年的秋季发掘开始了。连我这个什么也不懂的小学徒，也猜到准是继续发掘 Q2，因为这里发现了很多石器及哺乳动物化石和牙齿。果然不出所料，在这季的发掘中，除发现了许多动物化石外，还发现了一块人的锁骨和一块被火烧过的木炭。人的锁骨是第一次发现，这令步达生非常高兴。而那块木炭经植物学家鉴定为紫荆木炭。过去的发掘，发现过很多朴树籽，这次发现使我们了解到"北京人"烧火用的木柴至少有两种。

在鸽子堂，经过一年两季的挖掘，在从洞底部往下 8 米深所遇到的红、黄和黑色泥土——也就是前面所说的 Q1、Q2 层中，发现了人的锁骨，我们把发现地点称之为"G"地（LOCUS G）。这里的灰烬层都挖空了，往下遇到了坚硬的角砾岩。在角砾岩中虽然也发现了一些石器和化石，但不多，因而鸽子堂的发掘工作就停止了。

1932 年春，各位领导经过长时间的磋商，决定挖掘鸽子堂以南到洞壁以东的部分，我们称之为东山坡。此处外露的地层多为角砾岩，很不容易挖掘。

就在这一年，我们改进了发掘方法，从过去不规则地到处漫挖，改为考古式的发掘。我们先在南洞壁上用钢钎打上等距离的孔，揳上木橛，再往木橛上钉上铁钉，挂上线坠垂直于地面，然后根据指南针，在南北方向拉上等距离的白线绳，用石灰水沿线绳画线。东西方向以此类推，打出横线，分出方格。横向按 A、B、C、D……编号，纵向按 1、2、3、4……编号。这样就可以知道发现的东西在哪个位置，再按比例绘出平面图。

分好格后，我们又在南北向先开出深沟，查看埋藏情况，然后由一名技工带着一个工人在规定的格内挖掘。另外，每个方格内挖出来的土石有专人清理，分别放在各自的地点，经过筛选后再处理掉，怕的是标本有所遗失。

这一革新举措，给以后的研究工作带来了极大的好处，避免了重要材料的遗失。即使在清理土石中找到材料，也能知道是哪个地点、哪个层位中的。

这一年虽然改革了发掘方法，但发现的材料不多，除了一些石器和骨器之外，别无所获。这些材料经裴、卞检查之后，用毛头纸包好，装入大筐运往北京的研究室。

裴文中、卞美年因在周口店没有发现什么重要材料，而回北京研究。我留在周口店，除了查看现场和做每天必须做的工作外，没事就看书。这一年，我从书本上学到了很多知识。

当时，古人类学和古脊椎动物学在中国刚刚起步，国内连一本哺乳动物的教科书也没有，就是裴文中、卞美年也是边干边学。有一天，裴文中在中国地质调查所图书馆发现了一本1885年由伦敦麦克米伦公司出版、福罗尔所著的《哺乳动物骨骼入门》。这本32开、373页的英文书，对于我来说就成了宝贝。我们轮流看，晚上大多是我看。

全书共分20章，按照裴文中的指导，我先读"哺乳动物的骨架""狗的头骨"和"灵长目""食肉目""食虫目""翼手目""啮齿目"等章节。本来我的英文底子就不好，再加上书中专用名词太多，有些专用名词，英文字典上还没有，所以只好边读边向裴、卞请教。

书读起来很费力，开始每天只能读半页、一页，有些名词要死记硬背。功夫不负有心人，我还真的按裴、卞的要求啃完了。我感觉我的脑袋开了窍，对挖掘出来的骨骼化石的辨认能力有了长足的进步，也对自己的工作更增添了兴趣。

我们都感到这本书对我们非常有用，可是按地质调查所的规定，借出的书到期必须归还，也不能续借。怎么办？裴文中提议复印。他认识一位德国人，后者从故宫博物院买回了一些印刷机器，准备开个印刷厂。裴文中拉着我到西郊找他。他看了看，说可以印，只不过书皮是布面的，要贵点。商量半天，讨价还价，最后结果是复印 10 本 50 元，至于书皮我们自己想办法，就此成交了。

回来以后，我们就自己动手制作书皮，用的是花纸。其实也很容易，先往大瓷盆里放入清水，然后滴入不同颜色的油漆，用筷子轻轻点几下，水中即出现了美丽的波纹，再把道林纸放进去打湿，拎出来晾干，就成了漂亮的花纹纸。我们自制了几十张 8 开的花纸，送给了那个德国人。不久，32 开本的书送来了，我花 5 块钱买了一本，其余的都留在裴文中手里。如果他没有卖出去，大概也都积压在他手里了。这本书至今我仍完好地保留着。

为了更好地认识动物的骨骼，我还和工人商量，打一次野狗。在周口店的山坡上经常有野狗窜来窜

名师批注

描写——在读书之后，作者对自己从事的工作有了更加深入的认识，也对它有了更深的热爱，这是知识给予他的财富。

名师批注

叙述——因读书的条件有限，学者们便自己想办法解决问题，只为能够读书。这样的好学精神，值得我们学习。

读书笔记

动手试试制作花纹纸，并且说一说自己制作的过程。

去，尤其在夜晚，野狗常常聚在一起撕咬号叫，扰得人难以入睡。打狗吃狗肉大家都很愿意。我对狗肉不感兴趣，只希望能得到一副完整的骨架。

后来还真打到了一只大野狗，工人们七手八脚地扒皮、去内脏。我在一边不住地叫喊："不要弄坏了狗骨头。"一大锅香味十足的狗肉炖熟了，大家争先恐后，拌着大蒜和辣椒大吃起来。看着工人们吃得那样香，我在一旁仍不住地大声叮嘱："不许啃坏了我要的骨头！"笑得大家肚子都疼了。

餐后，我把骨头重新煮了一遍，剔去骨头上的筋筋脑脑，再用碱水煮去油，最后我亲手装起了一具完整的狗骨架。这可是我的私人财产，我在骨头上的不同部位涂上了不同的颜色，按《哺乳动物骨骼入门》中图上的名称，一一对应写在骨头上。在制作、写名称的过程中，我对哺乳动物，特别是对狗的认识更加系统了。

我把我自制的狗骨架和研究室内的狼骨架做了认真的对照，发现狼的牙齿排列较稀，牙间空隙大，所以吻部延长，呈粗锥形；而狗的牙齿排列密，吻部短。这样学习，比从书中学更加直观，记得更清楚，学得也更扎实。

为了提高自己的文化水平，在发掘间断期，我还特别愿意帮助杨钟健和裴文中打英文稿件。可别小看这种工作，它能提高我的英文水平，也能从中学到很多动物名称的专业用语和知识。

有一次我回北平办事，在家多休息了几天。我们在周口店工作，没有休息日，即使下雨或下雪天，工

名师批注

语言描写——作者为了学习，非常重视狗骨头，对其他人的嘲笑毫不在意，知识对于他来说更加重要。

名师批注

动作描写——好不容易得来的骨头，作者小心翼翼地处理，一点一点完成，最终在其中也收获颇多。

读书笔记

作者主动学习的行为让你有什么感想呢？

人休息了，裴、卞和我还有其他事要干，何况我又是个闲不住的人。所以，相对而言，回北平办事就是休息了。

一天，我从娄公楼的办公室出来，信步走进了东安市场。我想，何不逛逛书摊和书店呢？在中原书店里，我突然发现了一本很新的英文书，是纽约查尔斯·斯克里布之子书店1925年出版的纽约自然博物馆古脊椎动物学家、美国科学院院士亨利·费尔菲·奥斯朋著的《旧石器时代人类》，我高兴得跳了起来。但一问价钱，又吓了一跳，书价是我月工资的三分之一！寻思了半天也没舍得买。

到家后左思右想，我感到这本书对我非常有用，第二天跑了去，还是把它买了回来。

这本书内容全，也通俗易懂。对于古人类化石，不管是欧洲发现的或欧洲之外发现的，书中都做了解释。人类如何制造石器、打击石片；什么叫石核，以及石核、石片的特征等，书中都有图解，并加注了名称。书中对前舍利时代工业、舍利时代工业、阿舍利时代工业、莫斯特时代工业、奥瑞纳时代工业、梭鲁特时代工业、马格德林时代工业以及最后的阿兹尔－塔登奥伊森时代工业和文化，各个时代的气候、地理、冰期、间冰期等都一一做了介绍。

现在看来，此书内容虽然已显得过时，但从查阅发现古人类的地点资料来看，还是有一定价值的。它对我学习古人类和旧石器文化帮助很大。

以前裴文中曾给过我他的著作的单行本，如1931年在《地质学会志》上发表的《周口店洞穴层中国猿

读书笔记
为什么作者会想去书摊和书店？

名师批注
叙述——对于知识的渴求，打败了现实的压力，作者在学习的过程中，越发认识到知识的重要。

名师批注

议论——这本书的内容也许已经过时，但是在当时给予作者的帮助是不可估量的，它为作者更加深入地探寻人类起源之谜铺垫了道路。

读书笔记

作者为什么对这本书如此珍视？用自己的话说一说。

人层内石英器及他种石器之发现》，1932年他与德日进在同一刊物上发表的《北京猿人石器文化》等；我看了后总是似懂非懂，不得要领。读了《旧石器时代人类》一书，反过来再读裴先生的文章，很多地方就明白过来了，这对我以后专门研究旧石器有极大的促进作用。

上面提到的对我极有帮助的两本书，至今我一直完好地保存着。《旧石器时代人类》我都翻散了，后来又重新装订好。我宁可做笔记，也舍不得在书上写注。现在，我还经常拿它来翻阅，它也能给我带来某些启发。

这一年，我们改进了发掘方法，但发现的东西不多。然而我从书本上学到了很多专业的基础知识，所以，对于我来说，这是个丰收之年。

难忘的升级考试

名师批注

设置悬念——杨钟健先生突然让作者鉴定化石，让人不禁猜测他这样做的原因，吸引读者继续阅读下文。

读书笔记

为什么杨钟健先生看见作者鉴定好的牙齿后发火了？

1933年年初的一天，我在西四兵马司的办公室整理标本。忽然，杨钟健把我叫去，给了我一个大纸盒，里面装的都是哺乳动物的牙齿，他要我鉴定后，再写好标签给他。

我抱着纸盒回到自己的办公桌前。我认为这个工作很容易，因为这些牙齿中有许多是来自周口店第1地点（即"北京人"化石产地）。其他地点的牙齿鉴定虽然有些困难，但也能鉴定出个大概。

两天后，我把鉴定好的牙齿交给了杨先生，他一看就火了："这叫什么东西，我要的不是中文标签，是拉丁文的。重新来，写好了再给我！"好嘛！给我来个大窝脖儿。我做了个鬼脸，赶忙抱着纸盒跑回了自己的办公室。

经过两年的挖掘锻炼，我从书本上学到了不少。我经常帮助杨、裴二位先生打英文稿件，稿件中一些拉丁文名称，我不但做了记录，也背熟了很多。北京人产地发现的材料，我都一一摸过，对它们的颜色、分量也大致了解，只是材料编号很乱，有些编号还需再搞清楚。这回我更加细心，花了三天时间，重新鉴定牙齿，并一一打出拉丁文名称和编号。当我再次把大纸盒交到杨先生手里时，他仔细检查，然后高兴地笑了。

又过了一天，卞美年告诉我："杨先生是在考你。告诉你吧，你要升级了。因为我听到头头们对你的学习和工作倍加赞赏。"果不其然，不久我就从练习生升为练习员（相当于大学毕业生）。

当消息传开，一些地质调查所的大学毕业生对我说："你赚大发了，高中毕业才两年，就跟我们一样了。"我心里很明白，知识是自己努力学习得来的，靠占小便宜学不到。要想学有所为，还得自己刻苦努力。这次"占"点便宜也是自己不懂就问的结果。

5月13日早晨，我随杨钟健、德日进、裴文中一起到达周口店，当天下午就讨论本年度的发掘计划，最后决定放弃东山坡，集中发掘山顶洞。如果山顶洞收获不大，还有时间改挖其他地点。这次的目的是寻找人类在发展过程中的缺环。

自1929年12月2日裴文中发现了第一个"北京人"头盖骨之后，他为了更好地了解"北京人"化石

名师批注

背景补充——在帮助别人完成工作的时候，作者也不忘从中学习，补充自己所不知道的知识，这样的好学精神是当代年轻人要学习的。

读书笔记 ·············

为什么杨钟健先生此时高兴地笑了？

名师批注

心理描写——面对别人的羡慕，作者却十分清醒，知道这是用自己的努力换来的，也更加坚定地要付出更多的努力学习更多知识。

堆积和分布的情况，1930 年组织人清理了龙骨山北坡的地面。杂草和乱石都清理得差不多了。在龙骨山北坡，有"北京人"化石堆积，东西方向的巨大洞穴靠近南洞壁的上部，发现的这个山洞，我们给它起名叫山顶洞。它以前被杂草和乱石掩盖，没被发现。洞里的堆积呈灰色，地层较松软。杨、裴两位先生估计，如果山顶洞里发现人类化石，其时代也比"北京人"晚，也只是代表人类在发展过程中的一个缺环。发掘计划定下来后，还有一些细节需向上级请示。15 日，杨、德、裴返回北平，留下的人利用这段时间，清理"北京人"化石堆积地两端，即山神庙以东一带的地表。19 日裴回到周口店，我们商量了发掘步骤，第三天正式发掘开始了。

最初山顶洞外露的空隙不大，洞口朝北偏东方向，很窄。洞内南北向，像条甬道，北边约 3 米宽，南边最宽有 8 米，形状像一个火腿。原来东半部的洞顶已经风化破碎，被拆除了。我们的发掘仍采用分格的方法，每格定为半米，每个水平层也是半米。我们绘制了 1∶50 的平面图和剖面图，以备往图上填发现的记录。就在这一年，上级又规定了每日在固定时间内，在发掘地点的东、西、南三面各照一张相片，作为原始记录。

由于裴、卞需经常回北平写论文，绘制平面图、剖面图和照相的任务都交给了我，所以我还必须学会照相。他们也常来常往，我有了重要发现就报告给他们。我这个刚刚升为练习员的"先生"，除了跑地点、查看发掘情况、做记录、照相、填日报（每天发现的东西都要填写日报）外，还要采购发掘物品、给工人做工资表、发工资等。这些差事统统压在我肩上，每天忙得我脚丫子朝天。

就是这样，我还给自己加任务，每天读几页奥斯朋的《旧石器时代人类》。

学会"四条腿走路"

最初的发掘只限于山顶洞的洞口部分及其以南被拆除的洞顶东半部。在洞口附近发现很多兔化石，还有从洞顶塌落的碎石和少许碎骨片。骨片上有人工打击的痕迹。在灰烬层中发现了被烧过而变黑、变蓝或变白的骨片。东半部的化石比洞口附近还丰富，以鹿类化石最多，并有完整骨架出现。此外还发现将要出生的婴儿的头骨碎片，人类的牙齿，一小部分躯干骨，石器，骨器，装饰品。最引人注意的是一枚骨针，它有人的中指一般长，火柴棍粗细，一头很尖，一头带孔，稍稍弯曲。可惜针孔部分原来就破裂了。骨针的发现，足以证明当时人类已穿上缝制的皮衣了。

发掘到洞的西半部时，又发现了一个洞穴，内中的堆积与东部相连，说明它们原为一个洞穴。在这个新发现的洞内，发现的化石也很完整，有兔、鹿、鬣狗、獾和虎的化石，大部分是完整的骨架。

一有材料发现，裴文中就亲自坐镇。他每天上下午都在现场，嘱咐大家要小心，不要挖坏和丢失材料。装饰品尤其如此，它们体积很小，极易丢掉。一些发现的装饰品，都保存在裴文中的文件柜里，有时我还请他拿出来欣赏，过过眼瘾。

11 月间，在有洞顶部分的洞穴堆积的两侧遇到了

名师批注

夸张——作者当时承担着不少的事务，压力不小，但他努力地消化着这样的压力，做好自己的事情，这份忙碌也是他成功的捷径。

读书笔记 ·············

作者在忙碌之余还不忘读书，从中你得到了什么感悟？

读书笔记 ·············

从学者们的这些发现中，你能得出什么结论？

名师批注

叙述——裴文中先生对发掘工作非常关注，并且亲临现场指导大家，这一份热爱与责任令人钦佩。

名师批注

类比——语言通俗易懂，又从其中透露出了作者在这一重大发现出现时内心的狂喜与激动。

名师批注

列数字——至此，在周口店研究人类起源的工作告一段落，而在其中的发现是比较丰富的。

一个向下深展的陡坎，在陡坎之下半米深处，发现了完整的人头骨 3 个、躯干骨一部分。在躯干骨之下有赤铁矿粉颗粒，还有装饰品和石器。我国很多地方都有埋葬死者时撒赤铁矿粉的习惯。人头骨的发现，说明我们真正扒了祖坟。

1934 年春季，我们继续挖。在西部堆积的最下部，发现了大量的食肉类动物化石，这些动物的骨架是重叠在一起的。在最下部的红色土层中，发现了一块人的上腭骨，与"北京人"的很相似。这段时间里，除了发现这点人的材料外，再没有什么新的文化遗物发现。至此，山顶洞的发掘工作停止了。

在山顶洞发现的人类头骨和现代人的头骨相比，没什么明显差异。经魏敦瑞观察和研究，我们发现的所有人的材料中，连残破的都计算在内，共有 7 个个体，其中有 1 个男性老人、2 个女性青年、1 个不知性别的少年和 2 个婴儿。他们都属于黄种人。山顶洞中发现的石器和骨器很少，至今也没有人做出满意的解释。

在山顶洞的堆积中发现了大量的装饰品，这些装饰品中，狐和獾的犬齿最多，鹿和野狸的次之，虎的门齿最少。这些牙齿的齿根上都钻有孔，而且是两面对钻的。这类牙齿共发现了 125 颗之多，几乎各层都有发现。

除此之外，我们在一个女性头骨化石外包裹着的土中，还清理出 7 颗石珠。石珠比莲子稍大，是用石灰岩制成的，它一面磨平，一面微凸，边缘有敲击的痕迹，中间也有钻孔。还有 1 件钻了孔的扁而长的小砾石。另外还发现了 4 个长短不同的骨管，骨管有钢笔粗细，表面刻有沟槽。堆积中还发现了 3 个海蚶壳及 1 个青鱼的上眼骨。在海蚶壳绞合部附近凸缘部磨穿的孔较大，而青鱼眼骨边缘钻的孔很小。这些材料的发现，都证明了早在 1 万多年前，生活在山顶洞的人们，已经懂得美，并非常爱美。他们用项饰、头饰和身上的佩饰来打扮自己，所用的钻孔工具和技术也非常高明。

除了上述的人类材料、脊椎动物化石材料、装饰物外，我们还发现了鲕状赤铁矿碎块，其中有 2 块似是人工从中间剖开，还可以合在一起。它们表面有并行的纹道，表明当时的人从上刮下粉屑，当作颜料使用。因为我们发现一块椭圆形砾石，表面被染成了红色。另有一块鲕状赤铁矿碎块，一头磨得很圆滑，很可能被当作画笔使用过。不过，我们还没发现过壁画之类的痕迹。

上述发现，证明当时的山顶洞人能用高超的工具和技术，在动物的牙齿、骨骼上钻孔，制成装饰品来打扮自己，满足爱美之心；能用动物的细骨制成骨针，缝制御寒兽皮衣；能用鲕状赤铁矿碎石制作颜料或当画笔。

当然还有很多疑问难以解释，例如：缝制皮衣的线或穿装饰物的线是用什么做的？鲕状赤铁矿产地在北京西北的宣化，离北京有 100 多千米，山顶洞人的活动范围有那么远吗？海蚶壳产于沿海一带，他们是怎样弄到这些海蚶壳的呢？这些疑问，裴文中先生也没能解释，他只是认为山顶洞人当时活动的范围很广。这些疑问，也常常在我脑海中徘徊，百思不得其

名师批注

说明——在发现人骨时，学者们还发现了经过打磨的饰品，很好地说明了古人类也爱美，以及当时饰品的高超工艺。

读书笔记 ·················

这块碎块可能是做什么用的？请大胆猜测一下。

名师批注

说明——学者们得出的结论都是从事实而来，而不是凭空捏造。

名师批注

疑问——针对发掘中发现的现象，学者们又提出了很多疑问，需要继续探寻。这些问题也让我们不禁好奇起来，也激发读者阅读的兴趣。

解。20 世纪 40 年代，李捷先生任河北省建设厅厅长，他的得力助手钱信忠先生曾对我说，在离南苑不远的地方，钻探地下不太深即遇到了海相粗大的石英砂粒，证明北京很早曾是个海湾，且成陆很晚。所以，有可能海蚶壳产地离周口店很近。

在"北京人"遗址下部，我们采到了一块带窝槽的圆形砾石。它有拳头大小，石质为细砂岩，窝槽周围有压出来的痕迹。后来地质学家王曰伦先生（1903—1981）到周口店参观，经他查看，认为该压坑是冰川造成的。他带着我在周口店一带寻找冰川遗迹。经他指点，在沿着西山根以北约 1 千米处，我们发现了数米长、2 米宽的羊背石。

羊背石是冰川滑动过程中形成的，它的形状像羊背，羊背石的上面有冰川移动后产生的划痕。之后，我又把这块有压坑的砾石给地质学家李四光先生看，他也确定压坑是冰川造成的无疑。他把这块标本留了下来，说："如果有人反对周口店有过冰川，我就拿这块标本给他看。"

后来裴文中、刘东生、汤英俊等又前往调查，在周口店西南太平山坡下的砾石层中发现了几块赤铁矿石，这证明山顶洞人使用的鲕状铁矿石，也是被冰川运动而带到山顶洞附近的。那么，山顶洞人缝衣服和穿装饰物的线是用什么做的呢？用植物纤维不成，孔太小，纤维一抻就断。20 世纪 50 年代后期，文物管理学家王冶秋先生曾将一把像生丝一样的东西拿给我看，并问我是何物。我看了半天也说不出来。他说："这是黑龙江鄂伦春或赫哲族人缝缀皮衣用的线。"我

读书笔记

李四光先生的这句话有什么含义？

在 1976 年唐山大地震时，也曾去过黑龙江十八站——那里正是他们生活的地方——曾得到几根这种坚韧而半透明的细线。当地人猎来的驼鹿，会在其靠近脊椎处将两条肉割下，晒成半干，然后用锤砸。干肉被去掉后再梳洗几遍，就可以制成这样的线。山顶洞人很有可能也是用这样的方法制出缝皮衣和穿装饰物的线的。如果真是如此，说明这种线起源很早。

两年多来，我有了长足的进步。这一方面来自实践，一方面来自书本。我已养成习惯，不管多忙，也要看书和阅读专家写的文章，并认真做泛读笔记。正像杨钟健先生对我说的那样："搞学问就像滚雪球，越滚越大。"我就是这么做的，所以我对它的体会最深。

读书笔记 ······
作者对这句话体会很深刻，从中你学到了什么呢？

杨钟健还对我说："搞我们这行，要'四条腿走路'。这四条腿就是'古人类学''古哺乳动物学''旧石器考古学'和'地层学'。"他所说的"四条腿走路"，虽然只有五个字，但给我以后的学习和工作指明了方向。今天看来，他的话对我们的研究所和搞这行的人来说，也具有深刻的意义和影响。

名师批注
语言描写——杨钟健先生的大智慧就隐藏在这句话中，也呼应了标题，"四条腿走路"不是返祖，而是全面把握学科内容，才能走得更远。

刻在心间的名字

人有生就有死，生命有长也有短。有人死后让人感到悲痛和怀念，也有人死后受到唾弃和谩骂。为什么？用一把尺子衡量，那就是在他活着的时候，是与人为善还是与人为恶；在工作上是勤勤恳恳有所成就还是碌碌无为虚度年华。步达生的死就使许多人感到悲痛。

读书笔记 ······
作者开头的这段议论有什么含义？

步达生，1884 年 7 月 25 日生于加拿大多伦多。

读书笔记 ••••••••••
步达生先生的离世，给了你怎样的触动？

1934 年 3 月 15 日逝于他位于北平的办公室内。他 1919 年来华，先后任北京协和医学院解剖科主任、神经学和胚胎学教授。1926 年在周口店发现了人类牙齿之后，他力排众议，不但承认人是从猿进化而来的，还给"中国猿人"定了拉丁语的学名——Sinanthropus pekinensis（原意是北京中国人）。1935 年德国犹太人魏敦瑞来华接替了步达生的工作后，其学名才改为 Homo erectus pekinensis（北京直立人）。

步达生的年纪比我大 24 岁，按中国人的习惯他应属于父辈。他身材瘦小又有点驼背，但总是笑容可掬，待人非常随和，大家都喜欢和他接触。他总是教导青年人要好好干。

在中国地质调查所新生代研究室成立的过程中，步达生做了大量的工作。他先与美国洛克菲勒财团联系资助，后又与地质调查所协商成立新生代研究室的各项事宜。新生代研究室成立后，他任名誉主任。

步达生本身是个医生，患有先天性心脏病，他深知应该多休息，别人也经常这样劝他。可他把研究工作看得很重，很少有休息的时候。为了早日完成工作，他常常熬夜甚至通宵工作。工作起来他就把自己的病抛到脑后了。他去世前的那天下午，杨钟健在下班前还到过他的办公室，与他谈论工作。杨先生走后，也曾有人找过他，敲他的门，没人答应。最后到处找不到他，有人把他办公室的门撞开，才发现他趴在办公桌上，手里捧着人头骨，已经过世了。

对步达生的死，大家极为悲痛，我也深受震动。他那样勤勤恳恳地工作，我比他年岁又小那么多，在工作上和学习上岂能偷懒？从此我下定决心，一定要把知识学到手，努力工作，做出成绩来。

我永远不能忘记的另外两位前辈是裴文中和杨钟健。他们对我的培养和帮助是我工作上、学习上不断取得进步的重要因素。

裴文中先生 1904 年 3 月 6 日（一种说法是 1 月 19 日）生于河北省丰南县（今唐山市丰南区。也有说法其生于丰润区），1927 年毕业于北京大学地质系，毕业后即进入地质调查所工作。1927 年起参加了由李捷和步林共同开展的周口店大规模发掘工作。1928 年李捷到南京中央研究院任研究员，1929 年步林参加"中瑞西北科学调查团"工作，周口店的发掘由杨钟健和裴文中两位负责。1929 年杨钟健与德日进前往山西和陕西北部考察地质，周口店的工作由裴文中一人负责。

裴文中为周口店的发掘付出了心血，立下了汗马功劳。在周口店期间，他从早到晚不停地工作，既无星期天也无休息日。他和工人一样，日出而作，日落而息，就像过着原始生活。

他对工作，特别在管理方面抓得很严。不管有几个发掘地点，他都是东奔西走到处查看，唯恐失漏和挖坏了标本。他严格地执行着填写"日报"和"月报"制度，还经常改革一些运送弃土的方法，以减轻工人的劳动强度。

他没什么嗜好，很少进戏园子和电影院。当时收音机很盛行，但周口店工作站没有。他平时好说笑，话语中经常带点苛刻和调侃，逗人发笑。我参加了周口店的发掘工作之后，登记标本，填写日报、月报等

读书笔记 ••••••••••••

结合前文说一说，裴文中先生为周口店的发掘做出了哪些贡献？

名师批注

叙述——作为一个管理者，裴文中先生对于自己的工作总是亲力亲为，除了严厉，他对下属也有关爱，努力地减轻工人的负担。

读书笔记

裴文中先生在工作中是否做到了"三勤"呢？请结合文中的叙述说一说。

杂七杂八的工作就交给了我，以前这些事都是由他一人承担的。

1929年12月2日下午4时，他发现并亲手挖掘出了"北京人"头盖骨。他就像发现了宝贝一样。那时已经日落，洞里更黑，他点着蜡烛，还是把它取出来，脱了上衣，裹着它，小心地抱着，慢慢走回了办公室。从此他也成了国内外的知名人士。

在之后的工作中，他仍然一丝不苟，从不拿大。他是学地质的，对古人类学和古生物学也是边干边学。从1932年起，他对周口店的食肉类动物化石发生了兴趣，经常一边翻阅文献一边拿着现在的兽类骨骼做对比，有时到深夜还在研究。功夫不负有心人，不到两年，他就完成了巨著《周口店猿人产地之食肉类化石》。

在工作中他有"三勤"，即口勤、手勤、腿勤。每当野外调查，他知道了化石的出处后，不管路多难走也要亲自跑去查看；遇见化石必亲自动手挖掘。他从不把别人发现的材料作为自己的研究资料。我在《令人怀念的裴文中先生》一文中写道："他最大的优点是对人和蔼，从不拿大，吃苦耐劳，乐于助人。"我在与他一起工作的期间，从他的言传身教中，学到了很多宝贵的东西。

杨钟健先生也是如此。他1897年6月1日出生于陕西华县（今渭南市华州区），大我11岁。他为人厚道，善于育人，一生培养了很多人才。他尊老爱幼的精神为人所称道。

1919年他考入北京大学地质系。孙云铸先生

（1895—1979）比他先一年毕业，后留校任助教。他们的年岁差不多（孙只大 2 岁），但杨钟健一直称孙为老师，而孙云铸身着布衣、布鞋，头顶旧草帽来我们研究所时，也一直称杨钟健为先生。

名师批注

叙述——学者之间互相尊重，且精诚合作，才有了中国学术的伟大发展！

杨钟健是个急脾气，工作不顺心时就发火，而后他感到自己做得不对，又会亲自向你赔礼道歉。

读书笔记

从中你能看出杨钟健先生是一个怎样的人？用一个词概括一下。

有一次他看到了我请别人为我刻的一枚藏书章，因为上面只刻了"贾兰坡藏"四个字，没有"书"字，他就问我这章是藏什么用的。我心想，这不是明知故问吗？除了藏书还能干什么！我没好气地说："藏什么都可以。""盖在馒头上呢？""盖在馒头上藏馒头，盖在窝头上藏窝头。"没想到，他居然呵呵笑个不止。仔细一想，他问得有道理。之后，我又请人重刻一枚"贾兰坡藏书"的章，但这枚章我未用过。

名师批注

语言描写——两个人之间关于印章发生了争论，其有着孩子气的趣味，又隐藏着一种智慧。

他对标本的陈列很重视。抗日战争爆发后，中国地质调查所南迁，地质调查所陈列馆的许多标本也运往南京。当时杨钟健任北平分所所长，他嘱咐我重建陈列馆。我把山顶洞发掘出来的完整的动物化石组装成骨架，按当时的生活环境和方式，在丰盛胡同 3 号南大厅开辟了一块山顶洞时期动物生活的小园地。杨钟健非常感兴趣，常常来指导工作，这些材料现在保存于中国地质矿产部地质博物馆内。

读书笔记

杨钟健先生为什么会如此重视标本的陈列？

中华人民共和国成立后，杨钟健除了担任中国科学院编译局局长外，还任中国科学院直属的古脊椎动物研究室主任。

我除负责研究工作外，还兼研究室秘书并负责周口店和研究室的标本管理工作。

名师批注

背景补充——当时，杨钟健先生和作者在同一个部门工作，为下文的情节发展做铺垫。

名师批注

叙述——面对新发现，杨钟健先生十分欢喜，如此单纯可爱的学者，值得被尊敬。

名师批注

语言描写——有了新发现，杨钟健先生还不忘指导学生，这一份关爱之心，不仅感动了作者，也感动了读者。

名师批注

叙述——杨钟健先生希望作者的辨认经验能够被更多的人知道，便鼓励作者将它总结并发表，其中包含的博爱是学界的福音。

读书笔记

找一找不同骨头的标本，结合作者的方法，辨认它们是人骨还是动物的骨头。

有一天，某大学来函索要周口店"北京人"产地发现的动物烧骨，我就到丰盛胡同3号后楼的标本柜里寻找。突然，我发现了一块外表像人类胫骨的化石，长度比中指长。之后，又找到了一块被烧过的人的肱骨。我马上跟杨钟健打了电话。他听说后要我马上带着标本去见他。

杨钟健仔细地看了标本，第二天又来到了兵马司仔细查看。他问我："你是怎么区分出它是人的呢？""再小也能区分得出来。骨头只要带着外皮，有蚕豆大小就能分辨。"他兴致勃勃地说："那我得考考你的眼力。"说着叫人把几块人的肢骨和动物的肢骨背着我用纸盖住，纸上只撕了一个手指盖大的孔，让骨面露出来，然后叫我辨认。我看了一会儿，就把是人的指了出来，完全没错。杨先生高兴地说："真有你的。"过后杨先生一再叮嘱我，要我把辨别的方法写出来发表。在他的鼓励下，我写了一篇《如何由碎骨片中辨认出人骨》的短文，发表在《科学通报》1953年2月号上。

能够辨认人骨和动物的骨头是我平时注意观察的结果，我摸索出来了一些经验。人的骨头表面有许多棕眼式的小孔，暂且叫它们为纤孔，以肱骨表面最为明显。纤孔是顺着骨头长向而生的，带有尾式沟，在放大镜下观察像蝌蚪，呈大头长尾状。纤孔排列不规则，有的上下倒置。纤孔多是向侧方倾斜穿入骨里。纤孔较大是人骨特有的性质，而一般兽骨表面的纤孔较细小、平滑。虽然有时骨骼放得久了，因受气候的影响，受酸性物质的侵蚀，骨的表面会有细微的裂纹，但兽骨只是有沟而孔很少，远没有人骨的裂纹多。

通过自己的努力，我取得了一点成绩，受到了前辈们的支持和鼓励。反过来，这些成绩也增加了我继续发奋的信心。所以说，没有自己的努力，没有老一代科学家的支持和帮助，一个人成功是不可能的。

在我家的客厅里，还挂着老一辈科学家们的照片。虽然他们大多数去世了，但我在工作上遇到困难的时候，看一看这些前辈们的照片，从中也能得到很大的鼓舞。

主持周口店发掘

按照预先的安排，裴文中1935年要去法国留学，所以从1934年起他就不经常来周口店了，他要在家学习法文。卞美年对考古这项工作不感兴趣，他对经济地质感兴趣。而这一年的春天，我又晋升为技佐（相当于助理研究员或讲师），周口店的工作，实际上由我在负责。

名师批注

背景介绍——当时的伙伴都已经离开，只剩下作者坚守着周口店的发掘工作。

从实践中，我学会了挖掘的程序，一些原来由裴先生承担的工作，如绘制剖面图、平面图，照相，标本的记录、编号，填写日报、月报，等等，既多又杂，只要我学会了一样，裴文中就会叫我多干一样。这也无形中锻炼、培养了我。

名师批注

叙述——裴文中先生对作者的培养尽心尽力，并且给予了他很多机会，让作者不断向前发展。

裴文中要走，领导想把主持周口店发掘的工作交给我来做，让我接裴文中的班。我虽然热爱这项工作，但总觉得自己不够格，感到压力很大。经过杨钟健的一番开导，我也只好从命了。

主持周口店工作以后，我生怕自己胜任不了，把工作办砸了，心里一再打鼓。不久，杨先生派来了燕京大学生物系毕业的孙树森和北京大学地质系毕业的李悦言参加周口店的工作。杨钟健打算叫孙树森跟我合作，叫李悦言学习如何发掘和处理化石。我心里很高兴，这回有了伴，遇见什么事也可以商量了。可是没过多久，孙树森就开始埋怨，说这是把他发配到周口店，整天和石头、骨头打交道，毫无乐趣。他没待几天就走了，据说后来到某个中学教书去了。李悦言也只干了一年多，就到山西垣曲搞始新世化石去了，结果周口店又只剩下我一个人。

读书笔记
你是怎样看待这些学者的离开的呢？

就在我接班的这年，德国犹太人、世界著名的古人类学家魏敦瑞来华接替步达生的工作。来华之前，他在美国芝加哥大学任解剖学和人类学教授，那时他就认为，周口店发现了头盖骨、下颌骨和许多人牙，但人体的骨骼很少，是发掘的人不认识的缘故。

读书笔记
为什么魏敦瑞会有这样的想法？

到了北平之后没几天，魏敦瑞就到周口店检查工作，之后又接二连三地到周口店勘查地层，仔细观察工人们挖掘化石的工作，还问过我大型食肉类动物的腕骨与人的腕骨有什么不同，我对他做了详细的解答，他很满意。最后他对周口店的工作表示信服："这样细致的工作，不会丢掉重要东西，是可靠的。"从此以后他不常来周口店，每个季度只来一两次。

名师批注
语言描写——经过检查和询问，魏敦瑞对发掘工作充满了信心，这样的态度转变，正是因为学者们付出的巨大努力。

1935年的发掘主要集中在"北京人"遗址，只有一小部分人仍然发掘山顶洞的下部堆积。这一年的结果，除了发现一些人牙，灰烬层里的一些烧骨和石器外，没有什么新鲜东西。但使我感到奇怪的是，上层发现的石器较小，底层发现的石器较大。

我常自问，这是为什么？

没有新发现，就觉得自己的工作没成绩。我向杨钟健建议，停止周口店的发掘，把人员分成几个小分队，由我带着到周口店以外的地区寻找新的地点。我想，古时的人总不会只在周口店一处生活吧！杨先生怕改变发掘地点和范围，会因违反当时地质调查所与美国洛克菲勒基金会两方制定的协议而得不到资助，反而不好，所以没有同意。

其实，为了找新地点，从 1934 年起我就开始了行动。有时是我和技工杜林春，有时是和技工柴凤歧等人出去寻找。我们往西到了斋堂，即马兰台（"马兰黄土"的标准地点）。其实所谓的马兰台黄土并不标准，真正的标准地点在马兰台以北、东西大道的北山坡上。

寻找和开辟新地点成了我们额外的工作。特别是与专家学者们一起去勘查，从中更能学到很多地质学、古生物学、古人类学等方面的知识。在 20 世纪 30 年代后期，我们曾到离周口店之北数十千米的灰峪。在那里发现过一处很好的哺乳动物化石地点，我们把它编为第 18 地点，后经德日进研究，此处地质时代为早更新世。

在周口店"北京人"化石地点之南不足 2000 米的地方，有一座小山，其顶部高出现在的河床约 70 米。上面有一个簸箕形的沙岩沉积物，沙质很细，沙层薄厚不同。用钢凿把沙层揭开，就发现了鱼的化石。鱼化石很多都是整条整条的，身子还微微鼓起来，鱼刺看得清清楚楚。化石表面还有光亮的鳞片，栩栩如生，十分惹人喜爱。后经科学家研究，其处地质时代

读书笔记
你认为是为什么？请大胆猜测一下。

名师批注
叙述——理想的科学研究也会被现实所束缚，这是当时中国国情的限制。

名师批注
描写——所发现的鱼化石对于当时研究人类起源来说，也是有着很大意义的，作者面对这样的新发现，心中自然欢喜。

为上新世。这证明了七八百万年前，这里在山顶上是一条河。"北京人"居住过的洞穴，其顶大约也高出地面70米，上面也有一层细沙，细沙上面还有一层砾石。这些都是被大水冲流的凭证，显然这一带的地层曾有过抬升。这些额外的发现，对未来的地壳抬升研究很有帮助。

裴文中先生到了法国，我于当年10月17日收到了他9月24日的来信，信中说："……我觉得我国许多山洞应当钻。上房山云水洞好，请与杨、卞二先生去一趟。扁担窝及附近洞也请去看看。地上、壁上都要留心。入洞时要特别小心，不可粗鲁，因时有危险，最好买一部手提电灯，走到十字路口要留记号，以便出来。洞内有水，深浅不易辨别，先试着走。如此可以探洞，或有发现。"这也说明裴文中先生也有寻找新地点的想法。

名师批注

引用——裴文中先生身在国外，却依旧心系周口店的发掘工作，并且与作者的想法不谋而合，极有远见。

魏敦瑞来了之后，为了寻找人类化石和文化，他想扩大发掘范围，不过还是叫我们先集中力量发掘第1号地点（裴文中发现第一个头盖骨的地方）和在它之南的15号地点。我每天在这两个地点穿梭般地跑，唯恐漏了人类化石。对于已发现的化石，魏敦瑞没一点兴趣。

读书笔记

为什么魏敦瑞对于已发现的化石没有兴趣？

卞美年从北平给我来信，要我把15号地点的工作告一段落，即挖完一层就停止，然后集中力量挖第1号地点。他的信对我很有启发。他又在另一封信上说："找不到东西（指人类化石）可以不必发愁。月底收工，如果没有的话，那是死鬼要账（北京俏皮话"活该"的意思），咱们是变不出来的。"

我想想也是这个理，挖不出来我有什么办法？

卞美年的来信虽然给我一些安慰，但没有发现人类化石，我心里也时常很烦闷。烦闷时，我就把已发现的石器和骨器拿出来观察。以前发现的石器编了目录，骨器也编了号，1932年发现的石器我都亲手摸过，很熟悉。所以一有闲暇，我就对它们进行分类和研究，不想越研究越想再深入，越想深入就越着迷。我想，我何不在旧石器时代考古上下功夫，创出一个新天地，争取做一名高手呢！从此我就为自己确立了新的目标——旧石器考古。当然杨先生说的"四条腿走路"还是必须坚持的，因为它们之间有着内在的联系。

名师批注

心理描写——没有新的发现时，作者内心十分焦急，但是也只能保持乐观的心态，继续努力。

名师批注

心理描写——当研究陷入困境，作者没有停滞不前，而是在努力寻找自己的方向。

发现了三个头盖骨

1936年周口店的发掘任务仍是寻找人类化石。李悦言、孙树森两人相继离开了周口店，我又成了光杆司令。魏敦瑞来北平一年多了，除了一些人牙外，没有见到其他重要材料，心急如焚。其实我们也是如此。更使我们担忧的是，美国洛克菲勒基金会只给了六个月的经费，而魏敦瑞又只拨给周口店每月1000元。如果六个月后再无新的发现，洛克菲勒基金会可能会断了对周口店的资助。

此外，日本侵华战争也正一步步向华北推进，中国地质调查所已随当时的政府迁往南京。

杨钟健就任北平分所所长，他担心新生代研究室得不到资助，会散摊，我会另找工作。当时我已升为技佐，相当于讲师，找一个教书的差事不会很难。他找我谈了几次话。

名师批注

叙述——明明是中国的研究，却全由外国资助，当时中国的国情可想而知。

读书笔记

作者介绍当时的时代背景有什么作用呢？

他问我："如果新生代研究室取消，就在周口店成立一个陈列馆，你去管理怎么样？愿意不愿意？"我同意了。尽管大家对"后事"都做了安排，但我是周口店的负责人，还是兢兢业业、勤勤恳恳地在周口店干，一点也不敢马虎。杨钟健也是三天两头地到周口店检查工作，他看见大家都专心、细致地工作，也放了心。

天无绝人之路。正当我们为找不到人类化石而一筹莫展的时候，我们又相继发现了 3 个头盖骨、1 个下颌骨等人类化石。就在我们发掘三个头盖骨的地方，我注意到一个问题，就是在前面两个头盖骨的地层中同时发现了大量的石器，其人工打击的痕迹很清楚；唯第三个头骨，虽保存完好，其出土处也得到了些砂石片，但石片上没有人工打击的痕迹。对此我产生过疑问。我一直在想，第三个头骨当初是否被移动过？

11 天之内连续发现了 3 个头盖骨、1 个下颌骨和 3 枚牙齿的消息，一时传遍了全国和全世界。各地报纸纷纷登载这一消息，领导也特意叫我照了一张相片，洗印 100 多张，以提供给各地报纸作发表之用。后来一家英国专门搜集剪报的公司给我来信，说只需付 50 英镑，就可以把他们搜集到的世界各地发表的、有关发现三个猿人头盖骨的 2000 多条消息的剪报给我。50 英镑啊！我没钱买，去他的吧！

此时，新生代研究室秘书乔石生在写给我的信中说："……再者兹有喜事一件请为兄告，即昨日弟往西城工作，在杨大所长桌子上见有翁文灏所长来信云吾兄'近来在周口店成绩甚佳，虽并非大学毕业，而数年追求很具根基，故应特别待遇，而特奖励'等语，即请兄静候晋级加薪可也。"

中国地质调查所北平分所于 12 月 19 日在中国地质学会北平分会上，特别邀请魏敦瑞和我做报告。我谈了挖掘和发现的经过。魏敦瑞在报告中说："现在我们非常荣幸，因为中国猿人在最近又有新的发现：10月下旬曾发现猿人下颌骨一面，并有 5 个牙齿保存；11 月 15 日一天之内，又发现猿人头盖骨 2 副及牙齿18 枚，26 日更发现一个极完整之头盖骨。对于这次伟大之收获，我们不能不归功于贾兰坡君。因为当发现之始，前二头骨化石，虽成破碎状态，但贾君已知其重要性，并施用极精的技术，将其挖出，并经贾君略加修理，后才由卞美年君及余携手研究。"

> **名师批注**
>
> 语言描写——作者在周口店为发掘付出的努力有目共睹，是大家普遍认可的，这样的夸奖，他当之无愧。

一时间，我仿佛成了英雄，无论是地质调查所的领导、同事们，还是新闻界的人士，都在为我欢呼、呐喊，这使我感到不安和惭愧。我深知自己吃几碗饭，有多少斤两，对于加在我头上的荣誉，我很冷静。我想，这些赞扬都是对我的鼓励，离真正的荣誉，我还差得很远很远。我仍需努力工作和学习，否则对不起培养我的老一代人。

> **名师批注**
>
> 心理描写——面对荣誉和褒奖，作者并没有头脑发热，而是保持冷静，并明确自己未来的方向，这份淡泊十分可贵。

辗转云南行

纽约自然博物馆已故馆长奥斯朋曾有一种说法，认为人类起源于中亚高原地区，一支往南去了爪哇，一支往北来到北京，一支西行到了德国海德堡。这一见解，在当时很流行，魏敦瑞也颇赞同。南行的一支到爪哇必须经过云南。听中国的地质学家尹赞勋和王曰伦两位说，在云南的富民县河上洞中就有化石。我

> **名师批注**
>
> 背景介绍——这种说法得到了许多学者的支持，才有了作者的这一次云南之行。

们决定前往调查。

得到所领导的批准和魏敦瑞的同意后，我们于1937年1月中旬出发了。这次外出只有卞美年、我和杜林春三人。出发前我还在患重感冒，在家休息。卞看我躺在床上，征求我的意见，想把行期往后推。我说，休息几天就没事了，下个礼拜可以动身。

名师批注
叙述——即使作者病倒了，也依旧坚持云南之行，不愿耽误团队的行程，对他而言，集体大于个人。

这次外出，是想开辟新的化石地点，尽管我们已经在周口店找到了那么丰富的人类化石。对于我个人来说，在新一年周口店发掘工作开始之前，外出旅行一次，也是很难得的机会。当时京滇公路已建成，但还没开通，我们只好先到长沙。我们暂住在长沙分所，打算再雇汽车到云南。汽车没雇到，只好在长沙闲等。逛大街穿小巷，观察当地的风土人情。当然我们也没忘记渡过湘江，登上岳麓山，去凭吊中国地质界的老前辈和奠基人之一——我们的老所长丁文江先生。丁先生的墓地就在岳麓山上。

名师批注
叙述——在长沙逗留时，作者和同伴们心系地质界泰斗前去祭拜，正是这样一份传承，让中国地质研究能够一直向前走。

几天后，我们再次去公路局询问车子情况。答复是：小车子没有，如果你们愿意，给你们一个中等的旅行车，车子听你们调遣，也可顺便拉上几个客人，一路上想停就停，想走即走，费用照收。我们觉得虽有不便，可一时又没有想要的车，为了赶时间也只好如此。

读书笔记 •·············
从文字中你能看出些什么呢？

车从长沙出发，客人不多，很松快，连躺着睡觉都可以。西行到了桃源县，车子坏了。一问司机，才知道一时半会儿修不好，有个零件要到常德去买，真是出师不利。正在烦闷无聊的时候，我突然想起了陶渊明的《桃花源记》。那还是我上学时学过的，文章字数不多，但结构严谨，含义丰富，老师叫我们背过。"晋太元中，武陵人捕鱼为业。缘溪行，忘路之远近。忽逢桃花林，夹岸数百步，中无杂树，芳草鲜美，落英缤纷。渔人甚异之。复前行，欲穷其林……"我把这篇文章背给卞、杜两人听，又把文章讲的故事叙说了一遍。我提议："既已到此，车子又坏了，天赐良机，准是叫我们游一游桃花源。你们看怎么样？"卞、杜也来了精神。我们当即雇了一条小船，沿江漫漫游荡。

船夫悠悠向前划行，只见前方有一片树林，船夫告诉我们，那就是桃花源了，划至近前，桃花虽不见盛开，却也含苞欲放，看得我们眼花缭乱。陶渊明写《桃花源记》时，是渴望有一处和平安详的生活环境。虽然我们什么也没见到，觉得有点遗憾，但到此一游也赶走了因车坏而生的烦恼。回来时已是下午2点了，我们草草吃过饭，就往坏车处赶。

车修好了，继续西行。当时的公路很窄，路面也没有柏油，只铺了一层粗沙。路面被雨水一冲，泥泞不堪。车子左摇右晃，一天跑不了多少路。我坐在车上头昏脑涨，腰腿也酸痛难忍。我们不时叫车停下来，下车活动一下身脚。当年的旅行真是不易，与今天比较起来，有天大的差别。天色近黄昏时，到了贵州省黔东南苗族侗族自治州北部的施秉县，我们找了个旅店住下。我们三个人住在北房的一个大间里，因腰酸腿疼太累，晚饭后大家早早就入睡了。

半夜，卞美年把我推醒。"你听这是什么声音？好像是同车而来、住在厢房的两位妇女在哭。看看去。"卞美年拉起我就走。敲开门一问，才知道她们的路费

读书笔记
请赏析这段文字的作用。

名师批注
环境描写——虽然没有见到陶渊明笔下的桃花源，但是作者眼前所见到的美景也足够美丽，让人见而忘忧。

名师批注
叙述——一路前行，条件艰苦，但是学者们依旧坚持着，只为早日到达云南，为科学研究做出贡献。

读书笔记
如今我们可以选择哪些方式去云南？

用光了，前不能行，后不能退，所以急得哭了起来，年老的妇女指着年轻的对我们说："这是我儿媳，要去贵阳找丈夫。"我俩一听，认为这没什么大不了，忙劝道："既然大家有缘同车而行，哪有不帮助的道理。"我回房取了 15 块银圆，交给老婆婆，又说："不管如何，我们一定把你们送到家。钱呢，不必挂在心上，有就还，没有就算了。"她们说了许多感谢的话，我俩也回屋继续睡觉去了。

汽车开到了贵阳东关，两位妇女下了车，她们要我们等一等。只见老婆婆跑进了一条小巷，那位年轻的女子站在车前。我们不知怎么回事，正在疑惑，从小巷中出来一个青年，后面还跟着一群人。他们走到车前，一位年长的男人叫那个青年把钱如数还给了我们，还拉着我们去他家做客。我们解释说，要去云南有急事，不能多耽搁。磨了半天嘴皮子，他们才放我们走。车子开出很远，他们还在向我们挥手。

到了安顺，我们看见当地的少数民族妇女上着蓝色短衣，腿上打着裹腿，赤足担水在街上叫卖。我也不知她们是什么民族，只是拿出相机，给她们照了几张相，就急忙上了车。到了下一站，我才发现相机不见了，左找右找也没有。想来想去，是给少数民族妇女照相时，卸完了胶卷忙着上车，把相机丢在大石头上了。唉，真倒霉，这是我花 40 块钱买的。卞、杜两人劝了半天，一路上我还是很心烦。好在回到北平后，我把几张照片投到《大公报》，得到一些稿酬，补回了一点损失，因为那时贵州与内地的交通不便，这种照片很难得。

名师批注

语言描写——在国难之际，学者们选择了帮助他人，不求回报，这份善良，不仅温暖了两位妇女，也温暖了读者。

名师批注

动作描写——学者们的善良没有被辜负，两位妇女也懂得感恩，对学者们的感谢无以言表。

读书笔记

你是否能通过现在便捷的网络，找出这是哪个少数民族的妇女呢？

路途中，还经过了一个地方，我忘记叫什么名字。只见有的人家把门板卸下来，竖在门前，上面贴着长一米宽半米的饼子。用手去摸，软软的，很像中医的膏药。问老乡，才知道是大烟，我们听了之后吓一跳。我不由得想起北京有人因吸食大烟而倾家荡产，弄得家破人亡。不想这种害人的东西，这里到处都是，能不叫人心惊胆战吗？

读书笔记 •·············
请查阅资料，了解"大烟"的危害。

到了贵州西部的盘县（今为盘州市，属六盘水市），我们乘的那辆车就不往前走了，因为以后的路段不归长沙管辖，去云南需要另换车。我们三人找了一家小店准备住下。进去一看，脏乱不堪，床上幔帐成了灰色，一动到处飞尘土。卞美年说，走吧，上县"衙门"去吧。

我们来到了县政府，县长立刻出来迎接。他早已接到长沙的通知，知道我们要路过他管辖的县去云南，为我们做好了准备。"县太爷"把我们迎进后院。后院有三间北屋，西边一间是他的办公室，东边一间是他的住房，中间那间原来是客房，让我们三人住。室内干干净净，我们当然很满意。

在这里住了几天，县长对我们极为优待。早餐县太爷陪着，中餐晚餐可以说顿顿是酒席。我叫杜林春去问车，可回答总说没车。上街逛逛吧，又有警察跟随。不对吧？我们越来越觉得不对劲。卞和我叫杜林春偷偷地给翁文灏所长打了个电报，说明了我们在盘县的情况。

读书笔记 •·············
为什么我们会觉得不对劲？

第二天上午，这位县太爷就收到了翁的电报："卞、贾赴云南工作，请斥警护送出境，翁文灏。"至此县长才向我们吐了实情。原来，长沙卫戍司令部的军需官，携带着一个营的军饷潜逃，就是乘的我们那辆特别待遇的车。盘县归长沙卫戍司令部管辖，所以县太爷接到通缉令，把全部乘客扣留。他也知道我们的底细，又不敢违反卫戍司令部的命令，只好用好吃好喝的办法，把我们三人给软禁起来。两天后，长沙司令部派来汽车押解犯人，又顺便把我们送到了平彝（今富源县）。

名师批注

叙述——平彝是一个穷县，在这里，学者们回归了艰苦的条件，但是依旧坚持着向前行走。

我们是在平彝过的春节。平彝是个穷县，过年连个鞭炮声也听不见。时逢过年，饭铺又关了门，我们只好与县长在一起吃了年夜饭，初二一早就乘长途汽车上路了。车子经曲靖到云南首府昆明。在昆明，因我们揣着经济部长的介绍信、卞美年朋友的介绍信，所以受到很好的照顾。卞美年的四哥卞万年是协和医院的大夫，他事先给在昆明医院当院长的同学写了信。出发前，我的感冒并没彻底好，落下的一站一坐腿便疼的毛病还是他给治好的。

读书笔记 ●•••••••••••••

对于学者们这趟艰难的行程，你有什么感触？

昆明到富民不通汽车，我们只得雇几匹马，驮着我们和行李前进。马很小，天又下着小雨，路很难走，我们常常要下马牵着它走。从上午出发一直走到傍晚，才到达预订的客栈。

休息一夜，第二天我们就前往河上洞。河上洞在县城西约 4 千米的螳螂川旁的山坡上，距地面有六七十米。坡很陡，我们边爬边开路。到了洞里一看，那叫脏！洞口处横卧着一具干尸，干尸手里还拿着装鸦片烟的空筒子。我们叫雇来的民工把死尸埋了，又清理了一下现场，按比例测量完洞的平面图后，就正式开

读书笔记 ●•••••••••••••

请从环境描写的角度赏析句子。

始发掘了。

洞里各处我们都发掘了，只有右壁的角落里化石较多。每天我们也不过掘出点兽牙，兽牙的牙根也不全，像被豪猪啃过的。兽牙中有大熊猫、鬣狗、犀、貘、鹿和象的牙齿，这些动物都属于"大熊猫－剑齿象"动物群。没有什么其他重要发现。

正月十五这一天，天气很热，我们个个汗流浃背，卞美年更觉得喘不过气来。猛然间，他跳入河中，想洗澡凉快一下。我们还没反应过来，他就大叫："别下来！水太凉。"当他爬上岸后，浑身打起哆嗦。我和杜林春赶紧把他背到平地上，雇了匹耕地的马，将他驮回店房。杜上街买药，什么也没买到，丧气而归。此时卞浑身滚烫，我们也没了主意。正在这时，县长来了，他看了看卞，说吸口大烟就没事了。我们本来痛恨毒品，但到了这时，也不得不试试。大烟装好了，卞不会吸。这时有个当地人吸了足足一口，朝着卞的嘴里、鼻里猛地一喷，接着又如此喷了几次。第二天卞还真好了许多。我问："大烟什么味？上瘾了吗？"他说："要是上了瘾，我回去怎么交代呀，你们也交代不了。"

之后，卞在客栈休息，我和杜带着雇来的民工去挖掘。几天下来，仍觉得没戏，我们便带着这些化石，打道返回了昆明。

在昆明，我们马上给魏敦瑞拍了电报，汇报情况。魏敦瑞也很快回了电报："卞可留云南找新化石点，贾乘飞机速返。"接到电报后，我马上去机场探询。当时昆明只有中德合作的航空公司。该公司有飞

名师批注

说明——学者们的挖掘的确有一些发现，但是并不是他们所期待的人类化石，所以才决定打道回府。

名师批注

动作描写——因为天气炎热，所以卞美年跳入河中解暑，可见他的真性情。

读书笔记

人人痛恨的毒品，此时却救了人一命，对此你有什么感悟？

机从昆明飞往西安，已经试飞过，还有航空保险。不过一问票价，400块，我直吐舌头。要知道，400银圆当时可以买下一所小四合院呢。我只好再给魏打电报，魏回电说："不管票价多少，速归主持周口店工作。"

飞机是中德20号，外观很好看。飞机上没有几位旅客，一是票价太贵，二是刚试飞还无人敢坐。当时飞机的座舱不密封，飞到高空时，缺少氧气，乘客非常难受。空中小姐不时拿着一根皮管，往客人的鼻里、嘴里吹氧气。这样到了西安，我又改乘火车返回了北平。

升为技士

我是在1937年3月20日返回北平的，月底就到了周口店。发掘地仍是周口店第1号地点。4月下旬，我们在去年11月发现第二个头盖骨的地方附近半米深处，又发现了一个眉骨。从碴口上看，该眉骨像是第二个头骨上的。第二天，我派人回北平，将眉骨交给了魏敦瑞。

没几天接到他的来信，信中说："感谢你送给我这项材料。……上眉骨确实属于第二个头骨，我已把它复了位。这里的看法和我一样，或者可能发现更多的东西。"

周口店又有了新的人类化石发现，美国洛克菲勒基金会又资助了新生代研究室数万美元。从此，大家抱着更大的希望。

希望归希望，这一年的发掘除了那件眉骨外，并无更多的人类化石发现，所以发掘工作到6月草草结束。发掘中倒随处可见大型石器、小型石器以及破碎的骨器。很显然，这一地层当时是人类居住过的。除此之外我们还发现了一些哺乳动物化石。

除了在第 1 号地点发掘外，我还派了发掘能手柴凤歧领一些人前往灰峪进行小规模的发掘。灰峪这个地点，是我们为了寻找新的化石地点背着地质调查所调查时发现的。它离周口店很远，但我们仍把它编为"周口店第 18 号地点"。因为周口店的发掘款是专款专用，在支出的单据上不打上 C.K.T（周口店的英文简称）三个字母，美方是绝对不会支付任何钱的。

这个年度的发掘虽然没有前一年那么紧迫，但杂七杂八的应酬很多。由于前一年发现了三个头盖骨，很多人来到周口店参观，其中还有美国某电影公司委托上海电影制片厂来拍电影的。这些人我都要出面接待，我还要当"演员"。

裴文中先生也来信想要周口店发掘的照片，这说明他身在法国，仍非常关心周口店的工作。提到照片，我又不得不做个补充，我在去云南途中丢了一架照相机，回来后又花了 80 银圆买了一架柔来弗来（Rolleiflex）相机。现在我还保留着用这架相机拍的老照片。照出来的照片非常清楚，效果颇佳。可惜的是，相片保存了下来而相机早已损坏，被我扔掉了。

这一年对我来说很幸运。由于前一年我工作上颇有成绩，地质调查所破例提升我为技士（相当于副研究员或副教授）。提升技士职位，需上报部里审查批准。批文下来之前所里暂以"调查员"的名义任用我。

此外，地质调查所还发给我奖金 200 元。这个消

名师批注

背景补充——中国学者在中国的研究，却被美国牵制，可见当时学者们的窘迫处境。

读书笔记

你有没有看过作者"参演"的影片？请查阅资料了解一下吧！

名师批注

叙述——身在法国的裴文中先生心系周口店的发掘工作，并且愿意为发掘工作出一份力，爱国之心令人感动。

读书笔记

结合下文，说一说作者为什么觉得自己这一年很幸运？

息是我在云南时接到室秘书乔石生的信知道的。他在 2 月 22 日的信中说："……昨 19 日接南京总所寄予郁生兄函，并由浙江兴业银行汇来奖金 200 元。……特此奉告。南京所来函原文抄录如下：'兹因台端工作勤劳并在周口店采集化石，管理研究颇有成绩。特发给奖金 200 元，即祈察收。此致贾兰坡君。地质调查所启。37 年 2 月 16 日。'"

又提升，又得奖金，可谓双喜临门，但此时的我还真乐不起来。因为我们从报纸上看到并时常听到，由于国民党的不抵抗政策，军队节节败退，日本侵略军已经入侵到北平的家门口了。日寇不断寻衅滋事，并打算大举向华北进犯。在这国家和民族危亡的时刻，有谁还乐得起来呢？

6 月底，挖掘工作结束，我们照常把化石进行清理、编号、包装，装入大筐中，送到周口店火车站，准备运往北平。7 月初的一天，周口店火车站来电话说，去北平的火车不通，情况不明。第二天又来电话说，日本军在卢沟桥向我国军队挑衅，故意制造事端，恐怕要打仗。我听到这消息，当晚召集技工和工人开会，商量对策。大家都对日本侵略者恨得咬牙切齿。我们最后决定，愿回北平的，大家一起走；不愿走的，仍旧慢慢发掘第 4 地点。不过我要求他们把挖掘过"北京人"的地点用土石回填并夯实，不给日本人留下蛛丝马迹。

周口店日寇大开杀戒

我们回北平的一行人都轻装上路，沿着西山北行，整整走了两天，第二天傍晚才抵达西直门。此时西直门只开了个门缝，两边站着两排国民党兵。在城门口他们盘问了我们半天，才放我们进去。我回到自己家已经很晚，家里人因没有我的消息也正在提心吊胆。

两天后的夜里，听到了枪声。早晨出家门一看，满街都是帽子上带着屁帘子的日本兵，有的排着队，大皮鞋使劲跺着地走，像是对老百姓示威。日本侵略者占领了北平后，开始大家不敢也不想出门。又过了两天，杨钟健派人到家找我，要我到娄公楼去上班。我刚一上街，就碰上了日本兵，心里骂道："真倒霉，碰上了日本兵。"

我到了娄公楼，见到了杨钟健和卞美年，向他们谈了周口店的安排，他俩认为我处理得很好，就放下心来。

说是上班，其实大家也无心干活。每天大家都谈论战事，一有飞机飞过就跑出去看，看到的多是带着日本国旗的日本飞机，只得啐口唾沫，唉声叹气地回到办公室。尽管这样，大家却一致认为，日本人是"兔子尾巴——长不了"，很快就会完蛋的。

10 月份起，地质调查所北平分所的人员也陆续南迁。杨钟健行前嘱咐我，要我守住这个摊子，因为新生代研究室的工作没有结束，万一待不住了，就南下去与他们会合。

从周口店工头赵万华的来信中，我得知周口店的大部分工人也逃离了，只剩下他和董仲元、肖元昌三人。后来张海泉、张文斌回到了周口店，他们几个

读书笔记 ••••••••••••

南下的人写来的信中可能会说些什么？请仿照他们的语气写一段话。

读书笔记 ••••••••••••

联系时代背景说一说，为什么学者们要改用假名才能正常联络？

叙述——战火纷飞中，作者和朋友去探望同事的家属，这在乱世中实在难得，也是藏在每个中国人心中的热火。

人留在那里共同看守。时常有大队的日本兵在那里骚扰。还有几个身着西服的人，拿着《中国地质学会志》第 13 卷第 3 期及《中国原人史要》等书，在第 1 地点拍照和测量。我想，日本人也要对中国猿人遗址下手了。

南下的人时有信来。信中流露出对过去一起工作时光的怀念。杨钟健的来信也是嘱咐工作。正在大家没着落的时候，11 月下旬，裴文中在法国获得了博士学位后回到了北平。大家相见十分高兴。当时，日本人虽然占领了北平，但并没占领协和医学院，所以我们仍可在娄公楼上班。裴文中一来，按他的年龄、资历和学历，自然而然成了我们新生代研究室的头头。

1938 年，日本入侵越来越向内地深入。我们留在北平的人，为了与南下的人通信方便，都改用了假名。比如我的名字改为"贾若"。来信中朋友称我为若兄、若弟。给迁到重庆的地质调查所的同事去信，收信人地址中不能出现"重庆"两字，但只要写上四川巴县（今为重庆市巴南区）北碚（今为重庆市北碚区），他们还可以照常收到，只是越来越困难了。

南下的人虽然离开了北平，但并没有停止工作。来信中他们对留在北平的家属表示担心。我和乔石生也常常去这些人的家中探望，嘘寒问暖，力所能及地帮助他们解决生活上的困难。我们这样做，对于家在敌人铁蹄下而身又远离亲属、在凄风苦雨中工作着的朋友，也算是个安慰吧。

5 月中旬，周口店传来了令人痛心的消息，周口店的看山人赵万华、董仲元和肖元昌被日本侵略者杀害了。与他们一起被杀害的有三十多人。我怀着沉重的心情，把这一噩耗报告给了德日进，以及迁到长沙的地质调查所的领导们。德日进听到这一消息时，正在打字。听后，他站了起来，低下了头，默哀了一分钟，然后走出办公室。

地质调查所的领导也来信嘱托我，要我妥善办理被害人抚恤之事。他们以我的名义给协和医学院总务长、美国人博文写了一封信，说明了三位工人被杀害的情况，为他们申请抚恤金。6月9日，博文下发了公函，特发给死难者家属每人一年的工资，以兹抚恤。当我把情况告之长沙的地质调查所的领导和同事时，他们对日本侵略者的残酷行为表示非常愤恨，同时为这三位工人的家属能得到抚恤金而感到一丝安慰。

进修解剖学

转眼到了1939年的春天，新生代研究室没有什么重要事可干。魏敦瑞打算叫我今后跟他一起搞人类学，所以派我到协和医学院主管人类学的福开森女士那里，报名登记入学，学习人体解剖学、神经学等课程。

我记得我们这批学员共有十六人，由潘铭紫先生执教，四个人一具尸体。尸体都是经过处理后用纱布缠绕起来的，解剖哪里，就打开哪里。我们所用的课本是《格氏解剖学》。解剖先从大腿内侧开始，因为这个部位的动脉、静脉和神经束最粗大。课程很紧，每天都要完成一个段落，一天不去，就接不上茬，所以我不敢旷课。

名师批注

动作描写——面对烈士们的牺牲，悲痛的岂止德日进，每一个中国人都应该记住国耻，发愤图强！

名师批注

叙述——每个人的牺牲都不会被遗忘，每个人为何牺牲也应该被铭记，这是刻在中国人基因里的痛，我们都不该忘记。

名师批注

叙述——面对紧张的课程，作者非常好学，一天不落地赶去上课，只为获得知识。

经过整整一年的进修，我系统地学习了人体解剖课程，对于人体的骨骼、肌肉、神经各部分了解了很多。对于我来说，这是一次非常难得的学习机会。从入学第一天起，我总是早来晚走，早晨一到医学院，换上白大褂就一头扎进了解剖室。考试的时候，对于骨骼部分，我都是免考的，因为在周口店的发掘实践和自学中，我已基本上掌握了各个部位的名称和特征。在上骨骼部分的课时，有时潘铭紫教授还叫我给大家讲解和指导。

读书笔记 ·················
作者努力学习的过程给了你什么启发？

尽管这样，我还是一丝不苟，甚至比其他学员观察得更仔细。在我的白大褂兜内经常装着人手腕的骨骼，没事我就摸摸，分辨是哪块骨骼，猜对了就放到另一侧的兜里，错了重新摸。熟能生巧，最后我还能分出哪块是左手的，哪块是右手的。这也是我自创的识别方法。课程完毕后，我又回到了新生代研究室，经过这一年的系统学习，我有一种如虎添翼之感。

名师批注
动作描写——为了加强对学科知识的掌握，作者自创方法以帮助自己掌握这些内容，充满智慧。

学习人体解剖，一年到头与尸体打交道，在一些人的眼里，总是有些犯忌的。处理尸体时，要用福尔马林（甲醛水溶液）、甘油和盐酸浸泡，以防腐，所以我的身上总是有福尔马林的气味。同事们都不愿意和我在一起吃饭，说我身上有一股死人味，我家里人也这么看。我差不多每天更换内衣，上课时要穿洋服（西装），外边套上白大褂。回到研究室后很长一段时间，人家才觉得我没死人味了。

由于丰盛胡同的中国地质调查所北平分所被伪政权接收，我们新生代研究室的人退了出来，回到协和医学院娄公楼办公。日本人还没占领协和医学院和协和医院。我们离开丰盛胡同 3 号时，把存放在后楼上的"北京人"遗址发掘出来的碎骨片和鹿的残犄角等装了十多箱，一起运到了娄公楼。裴先生看我招呼工人们装运碎骨片，有点不满，而我认为这批材料很重要，因为里边有很多是人工打制的骨器。

读书笔记
为什么学者们要转移这些碎骨片和鹿的残犄角？

裴先生不经常到娄公楼来，他吩咐我把石器分好类，编上号，并把出土的地点和发现的年月日等一一编目，制成卡片。我按裴先生的分派编写石器目录和卡片，但一得空闲，就去摸摸从丰盛胡同运回来的骨器。虽然裴先生对我研究骨器有些不满，但我并没有耽误他交给我的工作，他也就不便说什么了。

在这段工作中，我对每一件石器又从头到尾地摸索、观察了一遍，这让我受益匪浅，为今后辨认石器和骨器打下了良好的基础。这一期间我还仔细地阅读了裴文中的老师、法国考古学家步日耶的《周口店猿人产地之骨器物》一文。这篇文章是在步日耶研究"北京人"出土地的骨器后发表的。文章中所述的都是一些早期发现的材料，而这些骨器中人工打制的痕迹更加清楚，我认为对研究"北京人"来说很重要。

名师批注
叙述——在工作中，作者也不忘学习，汲取知识，丰富自己。

看得出来，裴先生对我摆弄骨器不大满意，他不说什么，但经常发脾气。有时他发起脾气来，使人莫名其妙。有一次，室秘书乔石生为了打扫修理化石时落在地上的石土，买了几把笤帚。对此，裴文中发了火，气得乔石生收拾好自己的东西要走，我把他劝住了。后来裴先生又找乔商量修理化石的事，两人间的疙瘩才慢慢地解开了。我们觉得，裴之所以发脾气，大概是因为南下的同事仍能大干工作，而他在敌人占

读书笔记
为什么裴文中先生会经常发脾气？

读书笔记
从大家猜测的裴先生发脾气的理由中，你认为裴先生是一个怎样的人？

领下的北平没什么事可干，感到事业渺茫，心烦意乱。其实有谁心里踏实呢？

"北京人"失踪

过了一段时间，我去协和医学院娄公楼上班。这时日本已经占领了协和医院。医院大门口有了站得笔直、持着长枪的日本兵站岗。日本人刚占领时还宣布：北平协和医学院所有工作人员，不准擅离职守。以前发的出入证还有效，我掏出来一晃，大大方方地进了门。

回到协和医学院娄公楼 108 室，听到的第一个消息是："北京人"化石丢了。这使我惊得目瞪口呆。怎么会呢？不是早都做了安排吗？

在周口店发现的所有人类化石，包括"北京人"和山顶洞人以及一些灵长类化石，其中还有一个非常完整的猕猴头骨，都保存在东单三条路北，北平协和医学院进大门西边的楼（也称 B 楼）里的解剖科。最初步达生和接替他工作的魏敦瑞都在这里办公。化石就存放在办公室的保险柜里。

1941 年，日美关系越来越紧张，许多美国人及侨民纷纷离开中国回国。魏敦瑞也决定离开中国去美国自然历史博物馆，继续研究"北京人"化石。他动身前就找到他的得力助手胡承志，要胡把所有的"北京人"化石的模型做好，他准备带到美国去研究。胡承志有些犯难，因为要做好全部模型也不是件容易的事。"这需要时间。"胡说。魏说："时间紧迫，愈早动手愈好。先做新的，后做旧的。时间来不及，只好做到哪里算哪里。"之后，胡承志加班加点赶制"北京人"标本模型。

胡承志是我的好朋友。他在 1931 年春到北平协和医学院解剖科工作。他深知要想在这里站住脚，除了自己努力工作外，还必须学好英语。他就是这样去做的。步达生看这个青年人很有出息，就在医学院里找了个外国人，教他制作模型。据说这个外国人每教一次要收取 10 美元的学费，这些学费当然由公家支付。可是没几个月，这个外国人不教了。步达生问为什么，他说："胡太聪明，他现在做的模型已经比我做的还要好了，我还教他什么呢？"

我曾到 B 楼看过胡制作模型。他制作每件模型都一丝不苟、精益求精，在每件模型上都刻上发现人的名字。他制作的模型与原件放在一起，一般的人很难辨出真假。说他是一名制作模型的高手一点也不为过。中华人民共和国成立后，他调到中国地质矿产部地质博物馆任保管部主任，现虽已退休，但我们之间仍没断过来往。有时我们在一起，还经常谈起"北京人"化石丢失的往事。

针对"北京人"化石丢失一事，世界各地的新闻媒介众说纷纭，不但出了书，还拍过电影、电视剧。但所有这些书的内容，多与事实不符。

事实是，胡承志按照魏敦瑞的嘱咐，马不停蹄地加紧制作模型。魏还对胡说，像"北京人"化石这样珍贵的标本留在日本人占领区很不安全。又说，要同翁文灏先生商量一下，最好把"北京人"化石运出沦陷区。最初他打算委托美国大使詹森，把化石先运到

名师批注

侧面描写——外国人对胡承志的评价非常高，也衬托出胡承志的好学与天赋异禀。

读书笔记

请查阅资料，了解这些书籍、电影、电视剧是如何歪曲事实的。

名师批注

叙述——在那个兵荒马乱的年代，魏敦瑞掌控大局，具有远见，提前做好了转移的准备。

美国暂为保管，等战争结束后再运回中国。詹森不同意，因为在发掘周口店时，中美双方订有协议：不得把发现的人类化石带出中国。后来还是翁文灏以官方的名义委托詹森把化石运往美国，他才同意了。

魏敦瑞在办公楼 106 号举行了告别会，不久就举家去了美国。没多久，裴文中告诉胡承志，"北京人"化石要全部装箱运走，叫胡做准备。胡承志听到通知，找到解剖科技术员吉延卿一起开始装箱。

名师批注

动作描写——这些珍贵的文物，学者们在装箱时必须小心翼翼，不敢对其造成损坏，但是这样呵护的宝贝无故失踪，实在令人心痛。

箱子是两个白荐木箱，一个大一点，一个小一点。他们先用绵纸把化石包好，再用卫生棉和纱布裹上，包上白软纸后放在小木盒内，盒内还垫上了瓦楞纸，最后分装在两个箱子里。在两个箱子上，他们还分别写上 A、B 字样，然后将箱子送到了协和医学院总务长、美国人博文的办公室。而当天博文就派人把箱子转送到了楼下的 4 号保管室内。大约在 12 月 8 日之前的三周内，箱子被运走。

据说，化石被美国海军陆战队运往秦皇岛，准备搭乘美国来秦皇岛接送海军陆战队的哈里森总统号轮船，一同前往美国。但是哈里森总统号轮船从马尼拉开往秦皇岛的途中，正赶上太平洋战争爆发，这条船被日本人击沉于长江口外，所以这批化石根本没上船。负责携带这批化石的美国军医弗利在秦皇岛被日本军俘虏，从此这批世界文化瑰宝就失踪了，其下落至今仍是个谜。

读书笔记

日本人寻找"北京人"化石的目的是什么？

日军占领了协和医学院后不久，日本就派了东京帝国大学人类学家长谷部言人和高井冬二，来协和医学院寻找"北京人"化石。当他们打开B楼的保险柜，看到里面装的全是模型，才知道"北京人"化石被转移了。日本宪兵队到处寻找"北京人"化石，为此很多人都受到了连累。

受到牵连的人中有协和医学院总务处长博文，就连推车运送化石到 F 楼 4 号保险库的工人常文学，也都被捉进日本宪兵队受到了审讯。宪兵队还去了裴文中的家，对他进行了讯问，并暂时没收了他的"居住证"。在那个时候，没有居住证，要想离开北京是根本行不通的，连上街都会感到困难。

两个白茬木箱中装的是哪些东西呢？有幸的是我手中保存了一份用英文写成的装箱单的副本。装箱清单上一份注有"A"，一份注有"B"的记号，上面还有几个中文字——装箱目录。从中文字的笔迹上看，是新生代研究室秘书乔石生写的。我曾把这份装箱单译成了中文，以《中国猿人化石的失踪及新生代研究室在抗日期间的损失》为题，写了一篇文章，发表在《文物参考资料》第 2 卷第 3 期上，现再抄录如下：

读书笔记·
在了解日本人对这些学者的迫害后，你有什么感想？

名师批注
疑问——化石的下落牵动着千万人的心，作者设下这个问题，吸引读者阅读，也说出了千万人的疑问。

第 1，木箱
中国猿人（"北京人"）的牙齿（分装 74 小盒）
中国猿人的牙齿（分装 5 大盒）
中国猿人残破股骨 9 件
中国猿人残破上臂骨 2 件
中国猿人上颌骨 1 件（山顶洞底部发现）
中国猿人上颌骨 2 件
中国猿人锁骨 1 件
中国猿人月骨 1 件

中国猿人鼻骨 1 件

中国猿人腭骨 1 件

中国猿人寰椎骨 1 件

中国猿人头骨碎片 15 件

中国猿人头骨碎片 1 盒（属于"L"地点之头骨 I

和 II）

趾骨 2 小盒（似非中国猿人者）

中国猿人残破下颌骨 13 件（B–G–及 M–等地方）

褐猿（猩猩）牙齿 3 盒

第 2，小盒

中国猿人"L"地点之第二头骨（女性）

第 3，小盒

中国猿人"L"地点之第三头骨（男性）

第 4，小盒

中国猿人"L"地点之第一头骨（男性）

第 5，小盒

中国猿人"E"地点之头骨

第 6，小盒

中国猿人"O"地点头骨

第 7，小盒

山顶洞人男性老人头骨，编号为 PA101

第 8，小盒

山顶洞人女性头骨，编号为 PA102

第 9，小盒

山顶洞人女性头骨，编号为 PA103

以上第 1，2，3，4，5，8，9 等装入一只大木箱里，箱皮之上除写"A"字之外，并无任何其他字样。
第6，7两小盒则装在另一带"B"字的箱子里。"B"箱里除第6，7小盒之外，还装有下列各物：

猕猴头骨化石2件

猕猴下颌骨化石5件

猕猴残破上颌骨3件

山顶洞人下颌骨3件，编号为PA104，PA108，
PA109

山顶洞人脊椎骨一大盒

山顶洞人盆骨7件

山顶洞人肩胛骨3件

山顶洞人髌骨（膝盖骨）3件

山顶洞人趾骨6件

山顶洞人骶骨2件

山顶洞人牙齿1玻璃管

山顶洞人残片3件

除了丢失的这两箱世界人类遗产之外，我亲自带领技工们装的67箱动物化石、30多箱书籍以及10多箱清华大学袁复礼先生存放在新生代研究室的爬行类化石和私人文稿，也都遭到日本侵略者的捣毁或被付之一炬。

这67箱动物化石包括："北京人"遗址的肿骨鹿、斑鹿、犀牛、鬣狗及其他动物化石；第9地点和第13地点的鹿类、水牛、犀牛及介壳化石；第14地点的鱼化石；湖北宜昌新恐角兽头骨的左半部，"北京人"遗

> **读书笔记**
> 作者为什么要将这些内容一一列举？

> **名师批注**
> 列数字——日本侵略者对中国学界的迫害不止于"北京人"化石，还有许多的重要成果在这场战争中被付之一炬，我们要牢记耻辱，自立自强！

址的裴氏转角羚羊颈骨化石；周口店第 3 地点的介壳化石；安阳绿龟化石；山东山旺古犀的前后肢骨及植物化石；山顶洞赤鹿角化石；山西武乡的中国肯氏兽化石；河南渑池水牛以及山顶洞的熊、虎、獾、兔、狼、狐等化石。这些化石都是我国科学工作者多年工作的辛勤成果，由于没能及时运往安全地点，遭到日本侵略者的破坏。

1950 年年底，中国科学院收到西安韩德山先生寄来的 4 件化石，经杨钟健先生鉴定，1 件是水牛的距骨，3 件是鹿的距骨，均出自"北京人"地点。杨钟健跟我谈了这件事，我们都感到奇怪。"北京人"地点的东西怎么跑到西安去了呢？杨马上写信向韩德山询问。

1951 年 1 月 22 日接到了韩德山的回信，信中说：

"我 1931 年 1 月考入协和医学院食物化学系服务，两年后调到寄生虫系服务，直到 1942 年 1 月 31 日协和医学院被日军关闭。之后转到了北平卫生研究所工作。

"我曾听说过新生代研究室保存的化石甚多，1942 年 4 月，有一队日本宪兵住进了协和医学院娄公楼，因急于用房，日军下令把书籍和枯骨化石装入载重汽车，拉到东城根下（东总布胡同东口，小丁香胡同东口往北十数步）焚毁。当时我自卫生研究所下班回家（我家住大牌坊胡同东口，离东城根很近），听说日本宪兵烧协和的书，即前往观看，确见有些书籍正在燃烧。但大部分书籍被附近的贫民抢去。我曾亲眼看见贫民将书按斤卖给打鼓的（旧时北京收破烂的）。大批骨骼已被砸得粉碎，散布满地。因为有宪兵在场，我不敢多取，只偷偷地捡了4块……"

韩德山先生的来信，不正好说明了日本侵略者犯下的滔天罪行吗？

"偷"出"北京人"遗址图

日本人占领协和医学院后，对外出的人员查得特别严，绝对不许往外携带任何东西。我想，"北京人"遗址和第15地点发掘时绘制的平面图和剖面图，也可能被敌人毁坏。平面图和剖面图上记有每件标本的出土位置，一旦图纸毁坏和遗失，发掘的标本就无从查对了。所以每天我用很薄的半透明的绵纸，将1∶50的原图描摹下来，然后攥起来揣在兜里，像手纸一样，偷偷带回家。之后，再按比例缩成1∶100的图。那些日子我天天这样做。有时我还偷偷地把周口店发掘的照片底片夹在书里带出来，因为我发现日本兵对书的检查不很严格。就这样我"偷"出了不少资料。事后，裴文中对我的做法很赞同，认为我为将来的研究做了一件大好事。

日本投降后，"中华民国"驻日本代表团日本赔偿及归还物质委员会，曾到日本各地搜寻"北京人"化石，没能找到。找到的只有：

1. 周口店第1地点剖面图　1卷

2. 周口店发掘简报及账目清单　2束

3. 报告文稿　1束

4. 周口店发掘之鹿角　1件

5. 周口店发掘记录　7卷

名师批注

反问——韩德山先生所描述的这一幕幕，都是日本侵略者的罪证，无可辩解。

名师批注

议论——平面图和剖面图是发掘工作的重大成果，一旦遗失，损失极大，所以作者才会对它进行重点保护。

名师批注

动作描写——一旦被发现，后果不堪设想，但是作者仍然这样做了，只为最大限度地保护考古成果，这是学者们在这个时代的不得已之举。

读书笔记

为什么裴文中先生会觉得这是一件大好事？

6. 山顶洞发现之狐和獾之犬齿（44件） 1盒

7. 山顶洞发现之狐犬齿（37件）及石珠（3件） 1盒

8. 山顶洞发现石制装饰品、骨针、带有红色之石灰岩块及大鹿之犬齿 1盒

9. 山顶洞发现之狐犬齿 1盒

10. 山顶洞发现之穿孔海蚶壳、骨坠、鱼骨、鱼脊椎及石珠 1盒

11. 山顶洞发现之石器（4件） 1盒

12. 中国猿人之石器（4件） 1盒

13. 中国猿人产地燃烧之犄角 1盒

14. 周口店第15地点之石器（5件） 2盒

15. 周口店第15地点之石器（1件） 1盒

16. 文件（英文） 3卷

以上这些就是日本归还给我国的全部材料。

在日本侵华期间，考古这门刚刚兴起的学科，遭到了极大的打击，其损失是无法弥补的。

新生代研究室名誉主任魏敦瑞去了美国。珍珠港事变后，美国对日本宣战，日本人占领了协和医学院。辉煌了10年之久的新生代研究室在无法继续工作的情况下，于1942年初解散了。

重振周口店

1949年1月北平解放。中国人民解放军正以摧枯拉朽之势，向当时的国民党政府盘踞着的南京挺进。全国解放即在眼前。

名师批注

说明——中国在这场战争中损失惨重，但是被归还的材料只是这些损失的边角，这真是令人难过！

读书笔记

请查阅资料，了解中国当代为研究人类历史而做出的努力，并且用自己的话说一说。

名师批注

背景介绍——带来苦难的战争终于结束，经历战乱之后的学者们又要开始新的研究了。

北平刚解放不久，人民政府向各个机关派驻了联络员。地质调查所北平分所也来了联络员赵心斋同志。赵心斋叫我做个详细的周口店发掘计划。我心想，现在刚解放，各个方面都需要钱，就做个小打小闹的计划吧。这样既能有点工作干，又能为国家省点钱。没想到计划修改了几次都没能通过，还是赵心斋亲自动手把经费数字增加了很多，最后才通过了。

我记得当时的薪金是用小米计算的，我每月大概是900斤小米。当然也有超过千斤和更高的。虽然这不如旧社会薪金高，但旧社会物价飞涨，有时一天三变，尽管薪水多，也赶不上物价的上涨。

周口店的计划批下来，由我当队长，刘宪亭任会计，组成了一个发掘队。我们到了周口店一看，面目全非。原来的房子被日本侵略者拆毁后，改修成了工事，满地杂草丛生，遍山荒芜不堪。这又不由得使我想起了被日寇杀害的赵万华、董仲元和肖元昌。他们在世时的容貌，历历在目。这怎么不令人痛恨日本军国主义呢？我真希望在房山县（今北京房山区）西门外立一座石碑，刻上被日本侵略者杀害的死难者的名字，以示对他们的永久怀念，教育子孙后代不能忘却这段历史。

这里没法住了，我们来到了琉璃河水泥厂采石场宿舍，暂时住下。首要的工作是找到过去在周口店挖掘的技工。先找到的是乔瑞，我们与他协商了发掘和报酬的事。他说他在灰窑做工每天是5斤棒子（玉米），我们给他5斤小米，这要比灰窑的工钱高，他同意了。两天之后，他找来了一批工人，随后发掘工作就正式开始了。

我们先要把 1937 年回填的土重新挖出来。挖土中，在"北京人"化石出土地点的表面上突然发现了 5 枚人牙。但我们看得出来，这些牙齿并非出于原地层，而是出自上部第 4 层（灰烬层），是坍塌下来的产物。不管怎样，这是中华人民共和国成立后的第一次发现，是个好兆头。没有办公地点和宿舍，工作起来很困难。我回到北京和上级部门商量建宿舍的事，但得到的回答是，野外队不能建房，只能用帐篷或活动木板房。我认为这对我们不适合，我们是固定在周口店搞发掘工作的。

1950 年下半年，我们买了些旧房料，自己动手盖了三间小房。盖房时连裴文中都爬上了屋顶钉椽子。门窗请木匠做，山上有的是石料，马马虎虎就把房子盖起来了。因为我们都是外行，房子盖好后才发现椽子距离大小不等，大家笑个不停。这个房子既是我们的宿舍，也是我们的办公室，还接待过不少来参观的客人。中间房屋的两侧，都搭了一块木板，作为陈列之用。在这样的条件下，我们住了两年之久。

地质部的前身，中国地质工作计划指导委员会成立之后，新生代研究室在 1953 年改为古脊椎动物研究室，归属于中国科学院，1957 年扩大成中国科学院古脊椎动物与古人类研究所。

杨钟健所长陪同竺可桢副院长到周口店参观，他们见条件太简陋，才由科学院出经费在日寇拆毁的旧址上重新盖起了一座新式房屋，面积有 295 平方米。房屋东边一侧做陈列室，西边做办公室和住所。为什

读书笔记 ••••••••••

你认为学者们的居住条件如何？为什么他们能够坚持这么久呢？

读书笔记 ••••••••••

研究室的一步步扩大说明了什么？

么要建 295 平方米呢？因为按当时的规定，建超过 300 平方米的建筑要由主管房屋的部门审批，不足这个数的，科学院可以自己做主。这里我们还打了一个埋伏呢。有了新的陈列室、办公室和住所，周口店的工作条件有了很大改善。另一方面，周口店的工作也得到了党和国家领导人极大的关怀和重视，很多国家领导人都参观过周口店。

一场长达四年之久的争论

新中国成立后的首次发掘，除了发现的 5 颗牙齿外，还在山顶洞洞口东侧"北京人"遗址的堆积中挖掘出一块头盖骨。

20 世纪 30 年代，我曾在这个地方发现过一块"北京人"的头骨，当时我没再向里面挖。我相信再向里挖，说不定还能找到人头骨的另一半。我把我的想法说给青年人，他们这样做了，果然发现了一块头骨。虽然这块头骨与 1934 年发现的那块对不起来，但它给了我们一个最有力的证明，就是"北京人"在周口店生活期间，由前到后断断续续有近 50 万年，而身体的构造并无多大变化，只是在上部发现的下颌骨前下部出现的"颏三角"可以认为是下颏的"雏形"。

周口店初建陈列馆，得到了竺可桢副院长和杨钟健的大力支持。1952 年陈列馆建成后，为了使周口店的发现能早日与参观者见面，我带领全体工作人员，没日没夜地工作，有的清理标本，有的布置展台，有的写标签。大家没有一点怨言，每个人心中只有一个愿望，把陈列馆布置好，早日开放。回想起当时的工

读书笔记 •••••••••••

裴文中先生为什么恼火起来了？

名师批注

心理描写——面对自己与裴文中先生的争辩，作者认真反思自己，并且以一颗感恩之心崇敬裴文中先生，展现了学者的气度。

读书笔记 •••••••••••

从中可以看出裴文中先生具有怎样的品质？

作情景，真是感到激动和备受鼓舞。虽说新建成的陈列馆不大，但比起用两块铺板展示标本的情景来，又使人大喜过望了。

预展之前，杨钟健先生来了，他将全部展台展柜都检查了一番，很满意，他对大家说了很多鼓励的话。随后，裴文中先生也来了。当他看到展柜里陈列着一些骨器时，非常恼火。裴问："这些是什么？"我答："骨器。"他叫我们把展柜打开，一边扒一边扔，还说："这也是骨器？"原来我们摆放得很整齐的标本，这下倒好，全乱套了。我也有点火了，红着脸争辩说："您的老师步日耶和您自己都承认'北京人'也制作过骨器使用嘛！这些都是选出来打击痕迹很清楚的材料，怎么说它们不是骨器呢？""那就等预展期间听听别人的意见再说吧！"裴先生不再说什么了，我也转怒为笑，陪他参观了其他部分。等裴先生走后，我又一块块把标本按原样摆放好。

想想刚才的争辩，我觉得我们都不太冷静，特别是我，怎么能对裴先生发火呢？我刚来周口店时，是一个什么都不懂的小伙计，不是他一点一滴地教会了我很多的东西吗？"一日为师，终生不忘"才是道理。我还是应该检查检查自己和我们工作中的不足。

这点小小的不愉快，我没往心里去。当然我知道裴先生也不会往心里去，他向来都是有意见有看法摆在桌面上的，从不在你背后做手脚。不知怎么，这事传到了杨钟健耳朵里。我回到北京，杨先生问我到底是怎么回事，我把前前后后的经过说了一遍。杨先生很认真，问我碎骨是不是人打制的，是不是骨器。我说:"步日耶认为有许多是骨器,我认为没有错。您自己研究过的《周口店第 1 地点之偶蹄类化石》(《中国古生物志》丙种第 8 号)一书中所使用的材料中就有许多是骨器。只要我们仔细观察就会弄明白。"我接着说:"一点小事过去就完了。"

杨钟健对这个问题十分重视,他认为对骨器的看法既然有分歧,就应该把问题公开化,加以讨论,否则在一个陈列馆里,各说各的,认识不统一,参观者更搞不明白,总不像话吧。杨先生的想法很合我的心意。我说一点小事过去就完了,但对于学术上的分歧,我也想找个适宜的时机与裴先生争辩争辩。<u>我想人的头脑要围着事实转,不能叫事实围着自己的头脑转。对的就要坚持,不管你是外国的权威,还是中国的权威。错了就要改,不改则误人误己。</u>当时,我的工作很忙,既任标本室主任,又兼周口店工作站站长,还任新生代研究室副主任(杨钟健任主任),经常跑野外调查,还要搞室内的研究,无暇顾及争鸣的问题。直到 1959 年,我才在《考古学报》第 3 期上发表了一篇题为《关于中国猿人的骨器问题》的文章。文中说:

读书笔记 ·············
作者的想法给了你
怎样的启示?

自 1933 年裴文中教授在中国猿人化石发掘地发现石器和用火的遗迹之后,又一次惹起了学术界的注意。首先,为此事来我国的是法国步日耶教授在周口店做了几天观察,不仅承认了石器和用火的遗迹,而且认为所发现的碎骨中有许多是加工过的骨器。于同年的冬季,他在北京举行的中国地质学会会议上,对石器和用火的遗迹以及骨器的意义做了一次简单报告。后来他再次来我国，又把所发现的碎骨和碎角做了一次研究，写出了一本周口店《中国猿人化石产地的骨角器物》专论，发表于《中国古生物志》。1933年由步达生、德日进、杨钟健、裴文中诸教授合著的《中国猿人史要》一书中，也对中国猿人的骨器做了扼要的阐述。

尽管这个问题在刊物中一再提出，但在考古学界并未得到一致的认识。有人认为：碎骨和碎角上人工打击的痕迹有的是用石锤砸出来的，有的是许多带刃的石器砍斫出来的，砸击或砍斫的目的有时是为制造骨器。但也有人认为：有的骨骼是被动物咬碎的，有的是被洞顶塌落下来的石块砸碎的；虽然有一部分骨骼可能是被中国猿人打碎，但打碎的目的不是为了制造骨器，而是为了吃骨骼里面的骨髓。像上述的对立的看法始终也未统一，就在我们的古脊椎动物研究所里，一直到今天还存在着不同的意见。

中国猿人化石发掘地，在高达40米的堆积中，都发现过哺乳动物的骨骼化石，而所有的化石除了极少数的猪、鬣狗、熊的头骨和斑鹿角（只有一对）之外又都十分破碎。根据破碎的痕迹观察，破碎的原因相当复杂，如果仅归于单方面的原因，是与实际情况不符的。

裴文中教授在20年前也曾把当时的新生代研究室里保存的、认为不是人工砸碎的哺乳动物化石加以搜集、研究与试验，写出了一本《非人工破碎之骨化石》（1938年），发表于《中国古生物志》上。他在正文中把碎骨分啮齿类动物咬碎、食肉类动物咬碎、食肉类动物爪痕、腐蚀纹、化学作用、水的作用等六段来叙述，把中国猿人化石发掘地的一部分碎骨也包括在内。

文章一开始，我就对周口店骨器的研究、不同的意见和看法做了阐述。对于裴文中提出上述几点原因，也谈了我的看法。

我认为裴先生提出的关于碎骨的几个原因都有可能，但必须对碎骨和碎角的痕迹加以分析，不能一概而论。即使在同一块骨头上，由不同的原因产生的痕迹也会存在。观察任何事物，都不能以其中的一种现象来掩盖全貌。

洞顶塌落下来的石块把洞内的骨骼砸碎是完全可能的。……砸碎的骨骼一般都看不出打击点，即或偶尔看出砸的痕迹，但它没有一定方向，只集中于一点上；同时被砸碎的骨骼，在它的周围还可以找到连接在一起的碎碴。

人工打碎的痕迹在我们发现的碎骨中有许多。

问题是在于打碎的目的是什么。有人认为打碎骨骼是为了取食里面的骨髓。这种说法并非不合情理。……那么，是不是所有人工打碎的骨骼都可以用这个原因来解释呢？我认为不能，因为有许多破碎的骨骼用这一原因就解释不通。

我们发现了很多破碎的鹿角，肿骨鹿的角虽然多是脱落下来的，但斑鹿的角则是由角根地方砍掉的。这两种鹿的角，多被截成残段，有的保存了角根，有的保存了角尖。肿骨鹿的角根一般只保存 12～20 厘米长，上端多有清楚的砍砸痕迹；斑鹿的角根保存的

名师批注

分类别——学者发现的碎骨的形成原因非常复杂，将其分为六类之后，更方便了学者们的研究。

名师批注

议论——对生活之中任何一件事物的认识，都不能以偏概全，只有全面认识之后，我们才有评价的资格。

部分较长，上下端的砍砸痕迹都很清楚，并且第一个角枝常被砍掉。发现的角尖以斑鹿的为多，由破裂痕迹观察，有许多也是被砍砸下来的。在肿骨鹿的角根上，常见有坑疤，在斑鹿的角尖上常见有横沟，很可能是使用过程中产生的痕迹。

有一些大动物的距骨和犀牛的肱骨，表面上显示着许多长条沟痕，从沟痕的性质和分布的情形观察，可以断定它们是被当作骨砧使用而砸刻出来的。

破碎的鹿肢骨发现最多，特别是桡骨和距骨，它们一端常被打成尖状，有的肢骨还顺着长轴被劈开，一头再被打成尖形或刀形。此外还有许多的骨片，在边缘上有多次打击的痕迹。像上述的碎骨，我们不仅不能用被水冲磨、动物咬碎或石块塌落来说明，也同样不能用敲骨吸髓来解释。……敲骨吸髓，只要砸破了骨头就算达到了目的，用不着打击成尖状或刀状，更用不着把打碎的骨片再加以多次打击。特别是鹿角，根本无髓可取，更不能做无目的的砍砸。截断了的肿骨鹿的角根，既粗壮又坚硬，我同意步日耶教授的看法（我并不承认步日耶教授的全部意见，只是承认我认为是可靠的部分），它们可能是被当作锤子来使用的。带尖的鹿角或者是打击成带尖的肢骨，我认为都是当作挖掘工具使用的。

我对被水冲磨的痕迹的理解：

被水冲磨的碎骨很多……但是这种痕迹是很容易识别的，绝不会被当作人工痕迹来看待。

对于被动物所咬的痕迹，我认为：

在发现的碎骨中也存在着被动物咬的痕迹。……

特别是啮齿类动物喜欢咬一切东西，不仅咬骨头，也咬石头。它们的喜咬是由于门齿无齿根，而又连续在生长，如果不经常摩擦，则可使它不便于进食而致死亡。……但是被啮齿类动物咬过的痕迹是容易区别的。因为它们都是成组的直而宽的条痕，好像是用齐头的凿子刻出来的；条痕之间有左右门齿的空隙所保留的窄条凸棱，而且由于上下门齿咬啮，条痕是上下相对的。咬痕的大小与宽窄，则视动物大小而定。

在肉食类动物中，以鬣狗的咬力最强，它们可以咬碎马、牛等大动物的骨骼。这种动物咬碎的骨骼和人工打碎的骨骼虽然易混淆，但是仔细观察，仍然是可以区别开来的，因为牙齿（多用犬齿）咬碎的常常保持着上宽下窄条形的齿痕，而这种齿痕又多是上下相对的。

此外，我在《中国猿人》（1950 年龙门联合书局出版）小册子中写道，周口店还发现了许多自然脱落或砸去鹿角的头骨，它们的面部和头骨底部都被砸掉，只保留了鹿的脑瓢，这样的头骨前后发现有数百个之多。步日耶认为这些头骨是中国猿人用来作为舀水器皿的。我认为"北京人"的头骨情况也是如此。我们发现完整的或比较完整的人头骨共有五个之多，它们也都被砸去了头骨的面部和底部，只剩了瓢似的头盖，看来也是作为舀水的工具使用过。

裴先生对我的意见提出了反驳。他在《考古学报》（1960 年第 2 期）上发表了一篇文章——《关于中国猿人骨器问题的说明和意见》。文中说：

我个人还有些不同意贾先生 1959 年的说法。我个

读书笔记 ⋅⋅⋅⋅⋅⋅⋅⋅⋅⋅⋅⋅⋅⋅⋅⋅⋅⋅
你家的某一处有没有被啮齿动物咬过的痕迹，请仔细观察，并且通过齿痕判断动物大小。

读书笔记 ⋅⋅⋅⋅⋅⋅⋅⋅⋅⋅⋅⋅⋅⋅⋅⋅⋅⋅
你认为步日耶和作者的猜测是正确的吗？为什么？

读书笔记 •••••••••
裴先生是从哪个角度对作者的观点进行了反驳？

名师批注

议论——裴先生认为这些人工砍砸的痕迹是为了将这些鹿角转移进洞穴，减轻负担，从这个角度进行考虑，也是有道理的。

名师批注

引用——裴先生引用作者的议论，指出其中的数据太过单薄，并不能以偏概全，以反驳作者的观点。

读书笔记 •••••••••
对于作者与裴先生之间发生的争论，你有什么看法？

人认为，打碎头骨，是因为骨质内部结构的关系，头骨破碎时自然成为尖形或刀状。这不是中国猿人能力所能控制的，不是有意识地打成的。这是可以用最简单容易的试验证明的。我们如果将现在的猪的长骨打破，我们可以看看是不是可以成尖状或刀状。这不能成为争辩的问题。

文章继续写道：

我个人不反对周口店一些碎骨上有人工的痕迹。就是最保守的德日进也承认鹿角上有被烧的痕迹，也有人工砍砸的痕迹。但是他认为这是猿人为了鹿头在洞内被食用时，不用将庞大的鹿角携入，而将鹿角砍砸下来的。他的意见是鹿角被烧了以后，容易砸落，烧的痕迹正可以证明是为了砍掉鹿角而遗弃不食……

文章最后说：

贾先生应该不会忘记自己所说的话："骨片之中，虽有若干是经过人力所打碎，但是有第二步工作的骨器极少，如果严格地说，连百分之一都不足。"而不一般地讲，"将中国猿人发掘地发现的碎骨化石，逐渐地都加以详细研究，也像石器一样的可分为下列几类工具"，贾先生"连百分之一都不足"的分析，是很正确的；但是把中国猿人的"骨器"说成"像石器一样的……"则不免失之于过分了。

裴先生的意见，我认为有很多处与事实不符，当然不能把我说服。

我和裴先生前后讨论过不少问题，关于骨器的讨论只是其中之一。关于中国猿人发掘地石器的性质和中国猿人是不是最早的人这个问题的讨论就长达一年多。

因为讨论的都是学术问题，在学者之间因观点不同而争鸣是很正常的现象。有时争得面红耳赤，但并不伤感情。我和裴先生经常用争鸣得到的稿费，一起到饭馆"撮"一顿，杨钟健知道了，也凑热闹地和我俩一起去。

在"北京人"之前是否还有更原始的人类存在的问题上，德日进认为中国不会有比中国猿人再早的人类；而裴文中则认为"北京人"是世界上最早的人类，不会有比"北京人"更早的人类了。

我和我的学生暨好友王建，在深入研究了周口店"北京人"使用的石器，特别是用火的遗迹后，认为裴先生的看法不正确。他这种看法是关上了问题的大门，不利于本门学科的发展。因而我们以"泥河湾期的地层才是最早人类的脚踏地"为题，在《科学通报》1957年第1期上发表了一篇短文。

泥河湾期的标准地点在河北省西北部的阳原县境内，为一河湖相的沉积，由沙砾和泥灰质土组成。经过研究论证，泥河湾期所产的重要哺乳动物化石，其时代比"北京人"化石地点发现的动物化石要早得多，并且它们还是相互衔接的。因此，我们在短文中指出：

中国猿人的石器，从全面来看，它是具有一定的进步性质的。我们从打击石片上来看，中国猿人至少已能运用三种方法，即摔击法、砸击法、直接打击法（锤击法）。从第二步加工上来看，中国猿人已能将石片修整成较精细的石器。从类型上来看，中国猿人的

名师批注

叙述——学者们之间的争论并不会影响私下的交往，可以见出他们的可爱之处。

读书笔记

根据学者们的这些发现，你更支持哪一方的观点呢？为什么？

读书笔记

为什么作者说裴先生的看法是关上了问题的大门？

名师批注

分类别——中国猿人打击石片的方法和制造出来的石片种类都非常丰富，由此可见当时工艺的发达，为下文的论述做了铺垫。

石器已有相当的分化，即锤状器、砍伐器、盘状器、尖状器和刮削器。这种打击石片的多样性和石器在用途上的较繁的分工，无疑标志着中国猿人的石器已有一定的进步性质。虽然如此，但也不容否认，中国猿人的石器和它的制造过程还保留着相当程度的原始性质。

人类是否有一个阶段是用"碎的石子，以其偶然所成的形状为工具"呢？肯定说是有的。但事实证明，这种人类不是中国猿人，而应该是中国猿人以前的，比中国猿人更原始的人类。假若没有这样一个阶段，就不可能有中国猿人那样的石器产生。因为事物是由简单到复杂、由低级到高级而发展的。同时很多事实表明，人类越在早期，文化进程越慢。那么中国猿人能够制造较精细的和种类较多的石器，这是人类在漫长岁月中同自然做斗争的结果。由此可见，与中国猿人时代相接的泥河湾期还应有人类及其文化的存在。

我们还从中国猿人能够使用火、控制火，以及中国猿人的脑量和体质几个方面证明，中国猿人不可能是最原始的人。

20 世纪 60 年代初期，裴文中先生对我们那篇短论进行了反驳，他以"'曙石器'问题回顾"为题，在杂志《新建设》1961 年 7 月号上发表了一篇文章。文章很长，又引用了不少外国的材料，其中有一段话，才是他的重点所在。他在文章中说：

至于说中国猿人石器之前有人工打制的"石器"，我觉得这种说法也难以成立。周口店第 13 地点的时代是要比第 1 地点较早一些，但周口店第 13 地点的石

名师批注

道理论证——事物的发展一般都会从简单到复杂，人类发展也应如此，所以比较先进的中国猿人，不会是人类发展的第一环。

器，我们始终认为它仍然是中国猿人制作的，而且也只有1件石器，虽然它的人工痕迹没有人怀疑，但不能说是一种文化，或者说是中国猿人文化以外或以前的一种文化。更不能证明中国猿人之前，存在着另一种人类，如莫蒂耶所说Homosinia之类的"人"一样。

至于说中国泥河湾期有人类或有石器，我们应该直率地说，至今还没有发现。同样的问题，也就是"曙石器"问题，在西方学者中曾争论了近百年，也有许多人尽了很大的努力寻找泥河湾期（欧洲维拉方期）的人类化石和石器，但没有成功。如果欧洲的科学发展程序可以为我们所借鉴的话，我们除了在一些基本原则问题上展开"争鸣"以外，是否可以做一些有用的工作，如试验、采集工作？这比争论现在科学发展还没到达解决问题的时间，或比在希望不大的地层中去寻找有争论的"曙石器"，可能更有意义一些。

我和裴文中对于"北京人"是不是最原始的人的争论，引起了很大的轰动。《新建设》《光明日报》《文汇报》《人民日报》《科学报》《历史教学》《红旗》等报刊上都发表了对此争鸣的文章和意见。根据我的回忆，参加这场争鸣的人，除我和裴文中二人外，还有吴汝康先生、王建先生、吴定良先生、梁钊韬先生、夏鼐先生等。大家都认为中国猿人不是最原始的人。

我对"北京人"不是最原始的人类的认识，并非从20世纪50年代中期才开始，而是从我主持周口店发掘工作之后开始的。在工作中边干边学习，我对所干的这行产生了兴趣，加深了认识，对"北京人"及

名师批注

列数字——裴文中先生依旧以文物数量太少而不足以支撑作者猜测的理由，来对作者的观点进行反驳。

读书笔记

为什么裴文中先生更鼓励学者们去做试验、采集的工作？

名师批注

说明——这一次的争论涉及的报刊非常多，可见人们对这个问题的关心。

名师批注

道理论证——人
类利用火的过程，
必定是一步步反
复累积的过程，
而在"北京人"
遗址的发现证明
了人类在当时对
火的控制已经达
到了较高的层次，
这不是最初的人
类面对火时该有
的状态。

名师批注

对比——不同形
态的石器有着不
同的用途，适用
于不同的情境，
这是毋庸置疑的。

其文化的"最原始性"产生了疑问。这个疑问是看见
"北京人"遗址中有成堆的灰烬而引出的。

火对人来说，有着有利的一面，也有着有害的一
面。能够用其有利的一面而避其有害的一面，绝不是
人类在很短时期内所能办到的。我们能够想象得到，
最初的人类遇见山火时必然惊慌万分，到处逃窜。在
发掘中，我们看见在一块巨大的石面上，有的灰烬成
堆，灰堆中还有烧骨。灰堆的存在，证明了当时"北
京人"已经能够控制火，并使火不四处蔓延。

从认识火、利用火，到控制火这一进步过程，不
可能是最早的人类能一下子达到的，这是人类从实践
到认识、从认识再到实践反反复复长期累积的结果。

再拿石器来说，"北京人"不仅能打出很好的石
片，而且还能利用石片经过再加工，修理成适手的工
具，这绝不是最初的人类所能办到的。

说石器没有分工是不可能的。比如制造的大型砍
斫器（也称砍砸器）就不可能被当作只有几克重的尖器
来使用；反之这种小尖状器也不可能被当作大型砍斫
器来使用。特别是有一件石锥形长尖状物，它的一端
打制成长尖状，另一端是扁平状，这无疑是件石锥。
至于当时的"北京人"锥什么东西，我们还没办法搞
清楚，但对"北京人"打制的技术，我们没法怀疑，
这是已有所进步了。这种进步也绝不是人类最初就能
一下子掌握的。也就是说，这是人类为了自己求得生
存，在与大自然的搏斗中长期累积经验的结果。

想法归想法，科学是要以事实为依据的，争来争
去，没有证据，也是枉然。到哪里去找证据呢？我思

想上也背了很重的包袱。找不到证据，无法向人们交代，好像欠下了一笔债，愁苦难言。

1962年，夏鼐先生在《红旗》第17期上，发表了《新中国的考古学》的文章，其中有这样一段话：

1957年山西芮城县匼河出土的石器，据发现人说，比北京猿人还要早一些。现在我们可以将我国境内人类发展的几个基本环节联系起来。最近，关于北京猿人是不是最原始的人这一问题，引起了学术界热烈的争鸣。有的学者认为："北京猿人已知道用火，可以说已进入恩格斯和摩尔根所说的人类进化史上的'蒙昧期中期阶段'，不会是最古的最原始的人。匼河的旧石器也有比北京猿人为早的可能。"

到了这时，这场争鸣才算"刹了车"。虽没得出最终的结果，但这场争鸣对我们来说是一次大促进，它给我们搞这门学科的研究者带来了极大的动力。为寻找比"北京人"更早的人类遗骸和文化，我们爬山、涉水、钻山洞，拼命地工作，为这门学科的发展带来了新的曙光。

发现了丁村遗址

1953年5月，一些工人在山西省襄汾县丁村以南的汾河东岸挖沙，发现了不少巨大的脊椎动物化石。山西省文物管理委员会接到报告后，派王择义先生前往调查。在汾城县（后改为襄汾县）人民政府程玉树同志的协助下，征集到了1.1米长的原始牛角、象的下颌骨、马牙等动物化石，还有破碎的石器、石片和像是人工打制的带有棱角的石球。

名师批注

心理描写——科学理论还需要证据支撑，所以想要论证自己的观点，拿出证据才是最重要的，这一点正是作者的理论被攻击的薄弱点，作者只有找到证据才能打破这些质疑，所以内心十分焦虑。

读书笔记 •⋯⋯⋯⋯⋯
夏鼐的这一发现有什么重大意义？

名师批注

叙述——争论最终没能有个结果，但是它的意义不可否认，学者们有了更大的动力，去发现更多的证据来论证自己的观点，这对学科的发展来说，就是一种促进。

名师批注

说明——在丁村的发现十分丰富，并且与人们关心的人类发展过程有很大关系，所以被人们如此关注。

同年冬季，中国科学院古脊椎动物研究室（现在的古脊椎动物与古人类研究所）周明镇先生，到太原了解山西各地采集脊椎动物化石的情况，见到了这些石片。他认为石片上有人工打击的痕迹，就把它们带回北京，做进一步研究。

旧石器过去在我国发现很少，大家看到了周先生带回的材料非常高兴。随即我们把夏鼐和袁复礼等专家请到单位里来，一起观看标本并讨论"丁村"是否值得发掘。当时大家的一致意见是应该发掘。主持会议的杨钟健在会议结束时说："踏破铁鞋无觅处，得来全不费功夫。"并决定把丁村发掘作为古脊椎动物研究室1954年的重点工作之一。

裴文中先生对丁村的发现还不太放心，1954年6月，他与山西省文物管理委员会（现改为山西省考古研究所）的王建先生又前往复查。

回来后，两人的说法出现了分歧。裴先生说所有材料都是地面上拾到的；而王先生认为地面上和地层中均有。杨钟健则认为，过去发现得太少，无论如何也要组队前往发掘。裴问杨："如果没有发现谁负责？""谁也不负责。"杨钟健一边回答，一边做手势，为组队前往丁村发掘拍了板。此次组队由我担任队长。临行前杨先生对我说："如果你能在地层中找到一块石器，你就立了头功。"

这是中华人民共和国成立以来，除了周口店以外的首次大规模发掘。为了寻找人类的"根"，我们必须到全国各地去探寻。

我们这个发掘队中除了我和裴文中先生外，还有

读书笔记 •·············
为什么大家都认为丁村应该被发掘？

名师批注

引用——面对新的发现，学者们都非常高兴，并对这一次的发掘抱有非常大的期待。

读书笔记 •·············
你怎样看待裴先生和杨先生之间的争论呢？

144

吴汝康先生及张国斌等人，此外还有山西省文物管理委员会的王择义先生、王建先生等多人参加。我们研究所的人是 1954 年 9 月下旬出发的。裴文中先生当时在郑振铎先生领导下的文化部文物局任博物馆处长，他先有工作去了西安，然后由西安到丁村参加发掘工作。

名师批注

叙述——前往丁村的行程很坎坷，但是学者们的热情一分不减，他们怀着热切的渴望走过了这些路，最终到达了丁村。

我们原计划是先到石家庄再转车到丁村。不料因娘子关铁路塌方，我们只好绕道陕西的潼关，然后乘船渡过黄河到风陵渡，再乘窄轨火车到达襄汾县的丁村。抵达潼关时已是午后，我们住在一家小旅店里。第二天清晨大家起床准备出发时才知道，裴文中先生也住在这个小店里。真是巧得很，没想到大家在这里就会合了。我们一起乘木船渡过黄河，到了风陵渡，又乘火车于 22 日抵达丁村。山西省文物管理委员会的诸位先生早就到了丁村，正做着准备工作。

23 日清晨，我们就去查看地层剖面。沿着汾河东岸，北迄史村，南到柴庄，长达 10 多千米的地段上，均能陆陆续续看到石器，但多发现在地面上。人工打制的石片和石器，由于不明其出土地层，难免被人怀疑。

读书笔记

可能是什么原因造成这些石器出现在地面上呢？

我们边查看，边搜寻。忽然有人喊："地层里有石器！"大家围拢过去。在一个剖面上有一层沙土，沙层内有一犀牛下颌骨，一块有很清楚的打击痕迹的石器，一半还压在犀牛的下颌骨之下。我即叫人把裴文中先生请来查看。他没否认这是块石器。我们把它挖了出来，做了记录。从地层中找到了石器，我当然异常高兴，因为回到北京，起码有了交代。

名师批注

心理描写——作者不仅仅因为有了新的发现而高兴，也因为他作为这次发掘的负责人肩负着责任。

读书笔记
请从炼字的角度赏析"或多或少"这个词的作用。

我们在汾河东岸的铁路两侧进行了一般性的观察，对当地的地质现象有了初步的了解。在11千米的范围内共发现了或多或少含有化石的地点9处，我们将其编号为54:90～54:98。

在上述地点里，我们选出了54:90和54:94两个地点试掘，以了解旧石器原生层位。这些旧石器和它同时期的脊椎动物化石，都被发现在顶部盖有黄土的微红色土层之下的沙砾层中。

这一地区旧石器分布很广，又很丰富，所以试掘之后，我们即分组进行发掘。发掘前首先对外露在剖面上的化石进行采集。凡是外露层面不全，而从地层上看又明显有重要发现的可能，即打探沟了解内部情况。每个地点都绘有剖面图，根据不同的层位进行发掘。

在发掘中，我们又在附近发现了5处化石地点，编号为54:99～54:103。这样我们前前后后共发现了14个地点。在其中11个地点不但发现了哺乳动物化石，在化石同层中还发现了毫无疑问的人工制品。由于各地点所含的石器较少，我们只正式发掘了9个地点，而且把注意力集中在54:98、54:99和54:100三个地点上。这三个地点都在丁村之南，特别是54:100地点，位于离丁村1.5千米的汾河岸边上。这里不但发现了相当丰富的石器和哺乳动物化石，还发现了3颗人的牙齿化石。

丁村的发掘工作由9月22日起至11月12日结束，共计52天。发掘人员除了古脊椎动物研究室和山西省文物管理委员会共18人之外，每天平均还雇用民工24

名师批注
叙述——面对有可能的新发现，学者们对这里进行了细致的勘探和挖掘，不遗漏任何一处。

名师批注
列数字——这一次的发掘历时不短，所付出的人力物力也较多，可见学者们对这次发掘的重视，以及其所付出的努力。

人。在 3320 立方米的沙砾层中采得石器、蚌壳和哺乳动物化石 40 余箱。动物化石有软体动物厚壳蚌等，还有鱼类中的鲤、青鱼等；哺乳动物化石有狼、貉、狐、河狸、方氏田鼠、短尾兔、披毛犀、梅氏犀、野驴、野马、野猪、赤鹿、斑鹿、羚羊、水牛、原始牛、德永氏象、纳玛象等 20 多种；人类化石只有 3 颗人牙，即右上内侧门齿、右上外侧门齿及右下第 2 臼齿。牙齿经吴汝康先生研究后得出结论——丁村人是属于"北京人"与现代人之间的人。

丁村出土的石器，虽然在工人取沙时掘出或被水冲出地表的不在少数，但无疑是出自地层之中。这些石器绝大部分是用角页岩打制的，角页岩石器占总数的 94.7%，其他如燧石、石灰岩、玄武岩、石英岩、石英、闪长岩等较少，绿色页岩和砂岩最少，只占 0.1%。

读书笔记
作者为什么强调丁村的这些石器出自地层之中？

丁村石器的类型，基本上是属于大型石器范围。有多边形砍砸器、球状器（石球）、似"手斧"石器（手斧）、单边及多边形器（弧形刃砍斫器和三角形砍斫器）、多边形器（周边有刃的砍斫器）、球形多边器（有的像石钻）、厚尖状器（三棱大尖状器）、小型尖状器等，有些砍砸器可明显看出砍砸的痕迹。最多的是石片和石核。

读书笔记
这些石器可能是什么样子？请画出你心中的示意图。

丁村的石器是我和裴先生共同研究的，我们最后的结论是："……（丁村）所发现的石器，代表一种特别文化，时代是黄土时期，即更新世晚期。就时代而论，比周口店中国猿人文化及第 15 地点的文化都晚……""在欧洲，旧石器时代文化虽然很多，但没有可以和丁村文化对比者。因之，我们认为丁村文化是

读书笔记
请结合内容，总结丁村所发现的石器的重要意义。

我国发现的一个新的旧石器时代晚期文化。无论在中国还是欧洲，以前都没有发现类似文化。"

最初我们推定丁村时代是山顶洞人和"北京人"之间的一个环节。我们把各地点的石器都作为同一个时期的石器来看待了。随着进一步的研究，我们发现各地点的时代并不相同，各地点的石器类型也不一致。

对于丁村文化遗址的发现，我要介绍三位有重要贡献的人。

一位是襄汾县人民政府的程玉树先生，是他把工人在取沙时挖出化石的消息报告给山西省文物管理委员会的。如果没有程玉树先生的及时报告，就不可能有丁村文化遗址的发现。

第二位是王择义先生，他本来是个外行，但当山西省文物管理委员会接到报告，派他去调查时，他不但带回来了哺乳动物化石，还将见到的沙砾层中可能是人工打击作为石器使用的工具，也一并带回了太原。丁村遗址发掘后，他更加热爱这行。此后，他小包一背，小烟袋一拿，两条腿踏遍了山西的山山水水。他长期在野外寻找化石地点，竟自己摸索出了一套规律。山西很多的化石地点都是他发现的，他被人们称赞为古脊椎动物化石的好"猎手"。

第三位就是王建先生，他在这次发掘中，不但发现了3颗人牙化石，还通过自己的努力，从对旧石器一窍不通，成了现在研究旧石器的专家。在1954年首次发掘之后的40多年中，王建先生和他的同事，从不同的角度对丁村文化做了全方位的深入而精辟的分析和研究，并基本上搞清了丁村文化的来龙去脉。他们的

名师批注

叙述——对同一事物的认识会随着时间而有所变化，在科学研究上也是如此。学者们对于化石的研究越来越细致，才能有更加深入的认识。

读书笔记
请总结这三个人的重要贡献。

名师批注

描写——一次发掘，却改变一个人的一生，并且因此而成就一个人才，推动了科学研究的发展，这是人们意想不到的。

读书笔记
从王建先生的事迹中，你能看出他有怎样的品质吗？

研究比我们的研究进展更深，这使我感到无比欣慰。

丁村文化层的年代问题，一直是考古及地质工作者关注的热点问题，因为我们当时还没有测定"绝对"年龄的方法。1993～1994年我国的古地磁专家为丁村54:100及54:97两个地点推断出文化层的起止时间——54:100剖面为13.11 ± 0.49万年～11.68 ± 0.52万年；54:97剖面为12.82 ± 0.58万年～11.86 ± 0.52万年；取其平均值为12.96 ± 0.49万年～11.77 ± 0.52万年。丁村文化应是属中更新世晚期。

名师批注

列数字——科学技术的发展，帮助学者们更加精准地判断出丁村文化层的年代，对于其他学科的研究也有很大的意义。

寻找比"北京人"更早的"人"

丁村旧石器地点的发现和发掘，给我们带来了新的信息。从石器的特点来看，丁村石器代表了一种特殊的文化，这是黄河中下游汾河沿岸人类所特有的文化。它证明了旧石器文化在中国有着不同的传统，并非只有周口店"北京人"一种传统。丁村人的时代要比周口店"北京人"的时代晚。

我说过"北京人"不是最早的人类，我就一定要找到更早的人类，这也是我最大的心愿和目的。当时我的职务很多，有时影响了我到野外工地去，为此我还和杨钟健先生发过几次脾气。但他总劝我，不要着急，将来再说。

1957年和1959年，为了配合三门峡水库的建设，中国科学院古脊椎动物与古人类研究所在那一带做了许多工作。从所发现的材料中可以看出，那一带是研究第四纪地质、哺乳动物化石和人类遗物的重要地点。经过考证，我们把匼河一带作为1960年度的工作

名师批注

背景介绍——丁村的发现有很大的意义，但是并没有解决作者最关心的问题，所以作者还要再继续发掘，继续发现。

读书笔记 •••••••

作者当时为什么要到野外工地去？

重点，1960 年 6 月由我带队，同往发掘的有王择义、顾玉珉、刘增、胡仲年、王奎昭、张引成、李毓杰以及山西省文物管理委员会的王建等先生。发掘的重点选定为 60:54 地点。同时我们还派人在附近搜寻新的地点。

60:54 地点即在匼河，那里的地层剖面很清楚。最下面是淡褐色黏土，其时代应为距今 100 多万年的更新世早期。在这上面是含有脊椎动物化石和旧石器的桂黄色的砾石层。这个砾石层有 1 米厚，再往上是 4 米厚的层次不平的交错层。这层之上为 20 米厚的微红色土，其间夹有褐色土壤和凸镜体薄砾石层，最上面是年代很晚的细沙和沙质黄土。

在为期一个半月的发掘中，我们发现了扁角大角鹿、水牛、师氏剑齿象等哺乳动物化石。发现的石制品是以石片为主，有大小石片和打制石片后剩下来的石核以及一边或两边加工过的砍斫器等。扁角大角鹿在周口店第 13 地点和"北京人"出土的最下层也有发现。根据这些动物的生存年代和绝种年代，我们认为应把匼河地点的时代划为更新世中期的早期。从石器上观察，"北京人"的石器在制作技术上比匼河发现的石器进步。尽管匼河的石器也有早晚之分，但我们都把它们按同一时代看待。无疑匼河石器要早于"北京人"使用的石器，至少 60:54 地点是如此。

研究了匼河的石器后，1962 年，我和王择义、王建在中国科学院古脊椎动物与古人类研究所甲种专刊第 5 号上发表了《匼河》一文。随后又和裴文中先生在《新建设》和《文汇报》上发生了争论。不过还是

名师批注

补充说明——根据这一相似点，可以判断这一底层的时代。

读书笔记 ·········
从这一观察结果中，你可以得出什么结论？

老生常谈，没有什么新的内容。

　　这次发掘，我们虽把重点放在匼河，但仍派出了一些人在附近搜寻新的地点。就在匼河村东北 3.5 千米、黄河以东 3 千米的西侯度村背后一座土山——当地人称为"人疙瘩"之下的交错沙层中，我们发现了一件粗面轴鹿的角的化石。粗面轴鹿生活在 200 万年~100 万年前。在采集粗面轴鹿角的过程中，还发现了 3 块有人工打击痕迹的石器。<u>我们怕引起麻烦，所以只在《匼河》一文中说，"其中还发现了几件极有可能是人工打击的石块"</u>，很显然，西侯度是一个很重要的线索和地点。

　　西侯度是个不大的村庄，位于芮城县西北隅、中条山之阳，西与永济县（今山西省永济市）的长旺村、独头村相接壤，北与芮城县舜南村相对峙。东邻东侯度，南界潭新村，并与同蒲铁路的终点站风陵渡相距 10 千米。

　　1961 年的 6 月至 7 月间和 1962 年的春夏之际，王建主持了两次发掘。参加发掘的人有山西省博物馆的陈哲英、丁来普等。我在北京整理标本，没有参加，但也前往这个地点进行了观察和研究。由于当时正值"三年困难时期"，他们的发掘都是在生活极端困难下进行的，这种对待事业的精神也极大地感动和激励着我们这些科学工作者。

　　西侯度地点的地层剖面，保存十分完整。由上新世到更新世晚期都有保存，总厚 139.2 米。产化石和石器的地层，位于距底部 79 米之上的交错沙层中，厚 1 米左右。从剖面就能看出，含化石和石器的地层属于更新世早期。发现的哺乳动物化石有：剑齿象属、平额象、纳玛象、双叉麋鹿、晋南麋鹿、步氏真梳鹿、山西轴鹿、粗壮丽牛、中国长鼻三趾马等。除鲤鱼、鳖、鸟和一些哺乳动物不能定种外，其余的均能定种，它们都是更新世早期的绝灭种。和化石同层发现的石器，除1件为火山岩、3件为脉石英，其余的都是各种颜色的石英岩。在石器的组合中，包括有石核、石片、砍砸器、刮削器和三棱大尖状器等。最大的石核有8.3千克重，它是从巨大砾石的边棱上，用巨大的石块砸击下来的，然后再加工成适手的砍砸器。还有漏斗状的小石核，是从台面（平面）的边缘，打下细小的石片再制作成的较小工具。

在研究了这些石器之后，我和王建一起写了《西侯度——山西更新世早期古文化遗址》一书。由于种种原因，直到1978年此书才由文物出版社出版。

西侯度遗址的发现，使更多的人都确信"北京人"确实不是最早的人类，这是从文化遗存上得到证实的。能不能找到100万年前的人类化石？杨钟健叫我想想办法，这也是我的下一个目标。但要达到目的谈何容易！到哪里去找？正当我们无从下手的时候，机会来了。

1959年，地质部秦岭区测量大队曾河清先生在一次三门峡第四纪地质会议上介绍了陕西省蓝田县泄湖镇的一个第三纪和第四纪的剖面。同年，中国科学院地质研究所的刘东生先生，也到西安市郊和蓝田县泄湖镇采集脊椎动物化石，并对第三纪地层做了划分。根据这个线索，中国科学院古脊椎动物与古人类研究所于 1963 年 6 月派出了由张玉萍女士和黄万波、汤英俊、计宏祥、丁素因及张宏先生六人组成的野外工作队，到蓝田县境内的新街、泄湖镇、公王村、厚子镇和黄家新村等地，开展了系统的地质古生物调查和发掘。

就在这次野外考察中，7 月中旬在距蓝田县城西北 10 千米的泄湖镇陈家窝村附近发现了一具完好的直立人下颌骨和一些石器。下颌骨经吴汝康先生研究定名为"蓝田猿人"。蓝田猿人是距今 60 万年～50 万年的人类，它的发现增加了蓝田地区在学术上的重要地位。

读书笔记

蓝田猿人的发现有什么重大意义？

1963 年第四季度在北京举行的全国地层委员会扩大会议，提出了由中国科学院古脊椎动物与古人类研究所与其他有关单位协作，再次对蓝田地区进行详细调查，并筹备 1964 年第四季度举行一次蓝田新生界现场会议的议案。

读书笔记

从各个部门的协作中，你学到了什么道理？

这么大范围地进行新生代时期地层的调查，绝非我们一个研究所能够完成，我们必须与其他部门密切合作才行。地质部门、大专院校和中国科学院有关研究所共九个单位参加了这项工作。大家协同作战，对这一地区的地层、冰川、地貌、新构造、沉积环境、古生物、古人类和旧石器考古等学科涉及的领域进行了综合性的考察和研究。古脊椎动物与古人类研究所除了参加地层调查工作外，还承担了古生物、古人类和旧石器的发掘和研究。

1964 年春，古脊椎动物与古人类研究所派遣以我为队长的考察队和由赵资奎等人组成的发掘队，对蓝田地区新生界进行了更大规模的调查和发掘。

读书笔记

作者为什么要如此详细地介绍公王岭和公王村的位置？

读书笔记

猜一猜，为什么会出现这种现象呢？

为了搞好这一工作，所里还派张玉萍、黄万波、汤英俊、计宏祥、尤玉柱、丁素因、黄学诗等人前往工作，由毕初珍任秘书，此外，还派郑家坚、黄慰文、盖培、吴茂霖、张宏、武英等人参加各个地点的发掘。

经过三个月的努力工作，我们不仅填制了450平方千米的1:50000新生代地质图，实测了30多个具有代表性的地质剖面，还发掘出大量的脊椎动物化石和许多人工石制品。特别让人兴奋的是，在灞河西岸的公王岭，我们发现了"猿人"头盖骨、上颌骨及牙齿。

公王岭是一条土岗，在公王村背后，村前临灞河，后依秦岭，属蓝田县九间房镇，离西安市区66千米，在蓝田县城之东17千米。西安通往商县（今商洛市商州区）的公路就从公王岭山边经过。过了灞河桥就是公王村。

在公王岭见到的地层，底部是棕红色沙质泥岩与砾岩为主的沉积。在沙质泥岩中，发现了三趾马、鹿类和犀类的化石。我们判断其时代为距今500万年～200万年的上新世。这个沉积层厚约20米。在这层之上有一个剥蚀面。剥蚀面之上分布着厚33米、颜色呈灰白色的砾石层。关于这一层的时代，有人认为是早更新世，我们在野外把它看作是中更新世的最早期。在这层砾石之上覆盖着30米厚的红色土。在红色土的底部之上约5米的地方，发现了很多哺乳动物化石。

在这个地点，同层的化石有的区域很多，有的区域则一点也没有。一些动物化石像大角鹿的犄角、古野牛的牙齿、三门马的下牙床等都被钙质结核胶结在一起，非常紧密。它们像是被水移动过。像这样的埋藏形状过去很少见到。

5月22日发掘小分队发现了一件人牙化石。黄慰文将其拿到蓝田县考察队的住地给我看。我一看，没错，马上就邮寄给了北京的杨钟健所长，随后我也赶到了公王岭。当我到那里时，大家正围着一大块（约1立方米）被钙质胶结的土块，商量着怎么整块地起运走。土块上露出许多化石。当时正是雨季，化石很糟朽，在现场挖，怕把化石损坏。终于大家想出了"套箱法"，即用大木箱将土块套起来，再将土块底部挖空，把箱子翻过来，再往箱里空隙处灌注石膏，这样就能既方便又安全地将化石起运走。

这一箱被钙质胶结在一起的化石堆运回北京后，当年8月，在修理化石技术能手柴凤歧的指导下，青年技工李功卓着手进行修理。几个月下来，修理出一些哺乳动物化石。10月19日，还修出了一颗人牙。这时大家都认为会有重要的东西出现，心情很激动。李功卓修理时更加精心了。几天后，果真修理出了一个人的头盖骨，随后又修理出了一颗人牙和一个人的上颌骨。

读书笔记 •••••••••••

两位学者的合作让你有什么感悟？

人类头盖骨的发现，所里看法不一。杨钟健所长马上召集裴文中先生、周明镇先生、吴汝康先生和我开会，叫我们各抒己见，谈谈这头骨到底属于什么。裴文中先生认为它可能是大猿的头骨，头骨被挤压后形成了现在的模样，而我、周明镇和吴汝康都认为它是人头骨。最后杨所长赞同我们的意见，也认为是人

读书笔记 •••••••••••

你更赞同哪一方的观点呢？为什么？

头骨，他还说，如有不同看法，可以发表文章，说明各自的见解，进行学术讨论。从此之后人头骨就成为定论，再也没有否定的意见。

人类化石是由吴汝康先生研究的。他把陈家窝村发现的下颌骨和公王岭发现的头盖骨合在一起，定名为"蓝田中国猿人"。我一直认为，陈家窝村的下颌骨和公王岭的头盖骨，实际上是两码事。陈家窝村的人类化石，从下颌骨的构造上看应归于"北京人"，而公王岭的头盖骨才称得上是蓝田人，学名称"蓝田直立人"。

上述两个地点的哺乳动物化石也不一样。陈家窝村地点发现的哺乳动物化石与周口店第1地点基本相同；而公王岭发现的哺乳动物化石尚有南方种。后来经过绝对年代测定，公王岭化石层距今为110万年，陈家窝村化石层只有60万年。

秦岭抬升很快，使它成了南北屏障，以至有"秦岭之南行船，秦岭之北行车"之说。在它未抬高之前，一些大哺乳动物可以越过秦岭到达公王岭地区。著名诗人王维（701？—761）在秦岭的终南山之下隐居，当时他的门前还可通舟，现在河水已成细流，一步可以迈过。灞河从前行舟，由于秦岭抬升过速，现在灞河水流很急，已不能行舟，河水一泻而下直流渭河。

仔细观察公王岭出土的头盖骨，可以看到它的外面凹凸不平。研究者认为是被水冲磨造成的。我认为不是，如果经水冲磨，头骨必然会露出里面的结构，同包子皮破了就会露出馅儿的道理一样。但此人头骨

读书笔记
结合下文内容说一说，为什么作者认为两者是不同的？

名师批注
列数字——经过科学检测，证明作者的看法是正确的，两个地方发现的头盖骨有非常大的差别。

名师批注
对比——在历史的变迁中，地理也发生了很大改变，其影响了人类起源的研究，我们要追本溯源，理解这些现象。

名师批注
类比——将水冲磨头骨与包子皮破了进行类比，形象生动地描绘了头骨被水冲磨之后的结果，通俗易懂。

的结构与正常的头骨相比完全不同。在凹凸不平的地方，外面包有一层薄的外壳，里面也是一层薄壳，中间夹着棕孔样的结构。正常的头盖骨，从断破的地方看，内外是两块骨板，中间夹着海绵式的骨松质。公王岭头盖骨表现出的显然是一种病态。是什么病，我不懂。我记得，我小的时候在外祖母家读私塾时，村里有一个人在东北染上了梅毒。听说临死前，他脑壳都塌了下去。当然我没学过病理学，只是联想。无独有偶，1976年、1977年在山西阳高县古城镇许家窑村发现的距今约10万年的许家窑人的头骨片中，也有公王岭蓝田人的现象。这是病理现象，还是环境、气候等生活背景影响造成的一种异常现象？看来这也是古人类学研究的课题之一。如果是病态，研究出它的病因、病源，岂不是有了世界上最早的一份"病历"！

公王岭蓝田人的发现，再一次在国内国际上引起了轰动，国内外的报刊、电台、电视台纷纷报道。当时的气势有如1964年10月16日我国成功地爆炸了第一颗原子弹。的确，这是继20世纪20年代末至30年代中期，周口店发现了"北京人"之后，在我国境内发现的又一个重要的直立人头骨化石。它不仅扩大了直立人在我国的分布范围，而且把直立人生存的时代往前推进了五六十万年，从而给我国有没有比"北京人"更早的人的争论画上了圆满的句号。

名师批注

叙述——一个新的发现，作为不可置疑的证据，结束了争论，也实现了作者的理想，作者的喜悦可想而知。

广西探洞寻"巨猿"

我们既不会神机妙算又没有特异功能，只能凭着别人给我们提供的线索，去寻找我们需要研究的

名师批注

议论——在当时的条件下，学者们的科研工作只能靠被动地获得信息，可见当时进行研究的难度。

读书笔记•••••••••••••
为什么中医大夫仍喜欢用"龙骨"？

名师批注

对比——巨猿和现代人的牙齿之间区别非常大，因此非常好辨认，这也是为什么巨猿牙齿最先被发现吧！

对象。

以前老百姓没有哺乳动物化石这方面的知识，但你要说"龙骨"，他们大多数人，包括小孩子都知道。当时各地的一些民众把挖"龙骨"作为副业。在西北地区，每年挖出的"龙骨"至少有数十万斤。"龙骨"被收购站收购后，再销往香港、东南亚地区及世界各地。许多华人都有把"龙骨"当中药吃的习惯。其实"龙骨"就是我们所说的哺乳动物化石。中药中的"龙骨""龙齿"（哺乳动物的牙齿化石）完全可以用牡蛎壳代替，但中医大夫们仍喜欢用"龙骨"。

20 世纪 30 年代，荷兰古人类学家孔尼华曾来华，他把在香港和广州中药铺里买到的 3 颗巨大的猿牙齿给魏敦瑞看，孔尼华将此类猿命名为"巨猿"。巨猿牙齿很大，与现代人的牙齿相比，几乎大四倍。魏敦瑞很吃惊，他看了很久，越看越觉得像人的牙齿。后来两人又把"巨猿"的学名改为"巨人"。这么大的猿原来生存在何处呢？孔尼华认为在华南，因为他是在香港和广州买到其牙齿的。

我们虽然对"巨猿"极感兴趣，但不知到哪里去找。华南地区太大啦！事有凑巧，我们接到了广西某县一位中学老师的来信，信中说：他们在山洞里刨出了许多化石，希望我们派人去了解，看看是何物。这一下我们有了目标。过去也听说广西的"龙骨"很多，何不把广西作为突破口呢？一下子我们又兴奋起来。

此时，裴文中已由国家文物局回到我们研究室，因此由他担任队长，我担任副队长，组成了调查队。

前往广西调查时，我们研究室差不多是"倾巢而出"。我记得参加的人员有黄万波、韩德芬（女）、张森水、王存义、许香亭（女）、乔全芳、乔歧、柴凤歧等，还有北京大学的吕遵谔和广西博物馆的何乃汉等。

读书笔记 ⋯⋯⋯⋯⋯⋯
为什么在这次调查中我们几乎"倾巢而出"？

1956 年年初，以裴文中先生为首的"巨猿考察队"开赴广西。大家爬山，钻洞。我们的工作得到了自治区政府的大力支持，进行得很顺利。一位王厅长也和我们一起钻了许多洞。虽然我们找到了很多哺乳动物化石，但最终的目标——"巨猿"连个影子也没见到。

1956 年初春，考察队到了柳州，我们到处爬山，钻洞。在柳州西南 12 千米的公路旁，白面山的南麓发现了白莲洞。白莲洞洞口高出地面 20 多米，因洞口正中有一块形似莲花蓓蕾的白色钟乳石而得名。柳州地区的石灰岩的岩溶现象十分壮观，山上溶洞很多，洞内的堆积丰富。当地农民常到洞内挖取"岩泥"做肥料。

我们在洞内被扰乱了的堆积中，发现了很多软体动物壳和少量鹿牙化石。值得一提的是，我们发现了 1 件扁尖的骨锥和 1 件粗制的骨针，可惜针身都已残破。另外还有 4 件石器，它们都是由砾石打击而成，其锋利的刃口可作砍斫之用。经我和邱中郎鉴定，该石器属于旧石器时代晚期。后来，白莲洞受到北京自然博物馆周国兴和柳州市的易光远等先生的重视，他们进行了大规模的发掘，收获很大。在这个洞穴里的不同地层中，他们发现了不同时代的材料，从旧石器时代到新石器时代都有。

名师批注

叙述——学者和官员都在这次调查中付出了努力，只为多一点发现，这是朴素的中国人内心的责任感使然。

名师批注

列数字——尽管发现的这些东西数量不多，但是对于人类的研究是有意义的。

除白莲洞外，我们在柳州市木罗山思多屯的一个山洞内，在因挖"岩泥"而遭毁坏的残余堆积中，发现了螺壳和一件经人工多次打击才从石核上打下来的燧石石片。在柳州西南的柳江县（今柳江区）进德镇的一个南北贯通的洞内堆积中，我们在下层找到了剑齿象化石，在上层找到了螺壳、介壳层石器。

虽然有收获，但我们是来找"巨猿"的，没见到原生层位的"巨猿"化石，也不能算有成果。

名师批注

比喻——将巨猿的牙齿比作宝石，可见巨猿的形态很美，学者们见到它时内心的喜悦也溢于言表。

读书笔记 ·············

请从引用修辞的角度赏析这个句子。

在南宁，我们跑到供销合作社去看他们收购来的"龙骨"和"龙齿"，在成堆的"龙骨"中，还真见到了"巨猿"的牙齿。"巨猿"的牙齿很好辨认，因为它在猿类牙齿中算是最大的，牙瓷很厚，表面光滑，对着光看还有微红色的闪光，光润耀眼，好像宝石，煞是好看。 在成堆的"龙骨"中找到"巨猿"牙齿，使我们像"他乡遇故知"那样高兴。大家都感到广西就是"巨猿"的家乡，我们的估计没错。

当问这些"龙骨"来自何处时，我们又傻了眼。因为他们把所有收购来的"龙骨"都堆在了一起，然后装入麻袋运往外地。"巨猿"的线索又没有了，我们很失望。此时，裴文中提议，把现有的人分成两队，一队由他率领到南宁以北的地带寻找；一队由我率领往南宁以南的地区搜寻。

在我们往南搜索的小组里，我记得有吕遵谔、何乃汉、王存义、乔歧、柴凤歧等人。我们在南宁时，曾到中药店询问过，据说崇左县（今广西崇左市）境内产"龙骨"。所以我们这一小队就乘火车直奔了崇左，然后再从崇左往北返回，各处钻洞寻找。

2 月初，到了崇左，我们仍到供销合作社先去挑选我们需要的"巨猿"化石，还真找到了好几颗"巨猿"牙齿。我们向他们询问"龙骨"来源，才知道这几颗"巨猿"牙齿并非本地所产，而是来自大新县。我们听不懂当地话。幸亏崇左县政府派了一名干部协助我们工作，又有何乃汉先生，通过他们两人的翻译，我们才弄清楚"巨猿"的产地。

2 月 9 日，我们到了大新县政府所在地——新和街。县政府很快为我们安置好了住所。我们迫不及待地又找到收购站。从这个收购站里不但找到了不少"巨猿"牙齿，最可喜的是我们知道了这些化石的产地——榄圩乡正隆村那隆屯。目标缩小到一个村，大家当然很高兴，深信"巨猿"的出处很快就会弄个水落石出。

2 月 15 日，我们到了那隆屯。虽然路不算远，但因下着小雨，又是步行，所以我们傍晚才到达。屯子坐落在一个四周环山的山谷里，周围有牛睡山、乌猿山、谢山、尾塘山。屯子不大，只有 70 多户人家。村民看上去非常朴实。

第二天，虽然仍在下雨，我们还是拿着从大新供销合作社买来的"巨猿"牙齿，挨门挨户地向村民们询问。当我们走进一位老大娘的家门时，还没来得及寒暄，一个小男孩就拿出了一个装有"龙骨"的筐箩给我们看。啊，在这个筐箩里就有"巨猿"的牙齿。我们把它拿在手里，激动得手都有点发抖。我们的心血没白费，多日的追踪，总算有了眉目。小男孩是老大娘的孙子，约有 10 岁。我问他："这些东西是从哪里

名师批注

叙述——一路上追寻巨猿的过程说不上顺利，但是学者们凭着内心的热爱，都坚持了下来，并且离最后的答案越来越近。

读书笔记

是什么给了学者们即将找到"巨猿"出处的信心？

名师批注

环境描写——即使下雨，也挡不住学者们探寻"巨猿"故乡的脚步，再大的困难他们也能克服，侧面烘托了他们的热情和决心。

名师批注

神态描写——即将解开内心的谜团，学者们内心充满了欢喜，只想快点知道谜底。

弄来的?"他用手往屋后一指:"就在那个山头上。"

午饭过后,雨稍小了点,但仍淅淅沥沥地下着。我们登上了小男孩所指的那座山。当地人称这山为岂磨弄山(正式的名称为牛睡山),山上的洞穴名为黑洞。山很陡峭,洞口离地约有 100 米,从山下看得清清楚楚。

读书笔记 ●···············
请从环境描写的角度赏析这句话。

我们拽着树棵儿,费了很大劲才爬到洞口。洞不深,总长 20 多米,从洞口往里是一条窄道,走到尽头才开阔成室。含化石的堆积,在尽头还保留了一部分,其余的都被村民挖光了。我和吕遵谔凭着一卷皮尺,一个指南针和一根竹竿,一边测量,一边绘制平面图和洞的轮廓图。其余的人进行发掘。

名师批注

比喻——将洞穴比作"巨猿"的家,学者们经过 40 天的努力,终于找到了"巨猿"的来源,内心必定是充满欢喜的。

洞中的堆积可分为两层,上层为石笋胶结的黄色硬堆积;下层为不很胶结的蒜瓣状的红色黏土。就在下层的上部分,我们发现了"巨猿"的牙齿。这是我们长途跋涉,经过了 40 天的努力,亲手从原生堆积中找到的"巨猿"材料。我们找到了"巨猿"的"家"。

读书笔记 ●···············
学者们在这里吃了多少"苦"?请用自己的话总结一下。

找到了"巨猿"化石,大家也暂时忘却了苦和累。累不必说了,就说苦,那还真苦。屯子里缺少饮水,人和牲口都吃一个坑里的水。把水烧开了也觉得咸涩难咽。可是当地群众不就是这样生活吗?此外耗子到处都是,特别是夜里到处乱窜,睡觉时,耗子在身上跑来跑去。有时用手巾包裹好、准备第二天外出时带的干粮,早起一看没了,都是该死的耗子给拉走了,我们每个人都气鼓鼓的,但没有办法。再有这里的毒蛇很多,我们外出都结伴而行。一手拿着手电筒,一手拿着木棍,边走边划拉草,为的是"打草惊

读书笔记 ●···············
请赏析"打草惊蛇"这个词在这里使用的妙处。

蛇"。夜里连外出小解，都叫个同伴。起夜太勤的人则觉得困难。而我们就是在这样的环境下工作了一段时间，才返回南宁的。回南宁前，我们给裴文中拍了电报，又写了一封信，把我们的发现经过说了，促使他们那个队的人努力。

裴文中带领的北队也获得了丰收。柳城县长曹乡新社中村的农民覃秀怀，在一个山洞里挖岩泥时，挖出了许多"龙骨"，引起了洛满人民银行韦耀社的注意。他认为这些"龙骨"很有科学研究价值，要覃秀怀把这些东西捐献给政府。

读书笔记
请你评价一下覃秀怀、韦耀社的行为。

这些材料送到了南宁广西博物馆。广西壮族自治区文化局将标本交给了裴文中。这是一个"巨猿"的下颌骨。裴文中在广西壮族自治区文化局、柳州市文化局和柳城县文教科的帮助下，找到了覃秀怀。在他的指引下，在柳城县长曹乡新社中村之南约500米的楞寨山上，找到了发现"巨猿"下颌骨的山洞——硝岩洞。此后，裴文中先生再次到广西，带领柴凤歧等人继续发掘，从中又发现了2个下颌骨和若干个牙齿。这些材料经吴汝康先生研究，仍用孔尼华定的学名——"巨猿"。从齿面上看，它具有很多人的性质，我认为魏敦瑞和孔尼华将其改名为"巨人"的意见也应考虑。

名师批注
总结——这次广西之行，学者们实现了自己的目标，并且有了额外的收获，的确说得上成绩斐然！

这次广西之行，可以说成绩斐然。

寻找细石器的起源

远古人类以石击石的方法打制出的石器主要分为两大类：一种是小型的，一种是大型的。当然一些遗址中两类共存的现象也不少，这是人类在当时特定的生活环境下形成的。

读书笔记 •·················
为什么人们会有这样的推论？

过去就有人说过，细小的石器是在草原上生活的人类使用的，这种推论是可能的。在我国，特别是在北部，细石器很普遍，东北、华北、西北广大地区均有分布。在四川也有分布，四川省文物管理委员会主任、古人类学家秦学圣先生曾陪我到雅安一带考察过。此处石核的类型以船形、锥形（或称铅笔头形）、柱形、楔形为主。

从中国往东，在日本、韩国和东西伯利亚、北美洲也都有相同或类似的细石器发现。特别是晚期的石器，连类型和打制的方法都基本一致。例如以"船形石核""锥形石核"（或称"铅笔头形石核"）、"楔形石核"为代表的类型群，在辽宁、吉林、黑龙江、内蒙古、宁夏、山西、陕西、甘肃、新疆等省和自治区都有所发现，往西分布到喀什。石器虽有大小之分，但类型和打制的方法是一致的。

名师批注

举例子——学者们的结论不是空穴来风，而是从现实中的发现而来的，是可信的。

名师批注

疑问——通过两个问题，指出了下文要讨论的主要内容，也引发了读者的思考。

细石器到底起源于什么地区？又是怎样随着人类活动分布到各处的呢？我的想法是，在数万年到1万年前末次冰期的时候（据现在的研究结果，时间还要提前），下降的雨水凝结成冰雪，不能复归于海。又据冰川学家研究的结果表明，在冰期高峰时，海面可以下降100多米，使隔海地带变为通途。人类在这个时期到达各地的可能性很大。

早在20世纪30年代，德日进根据我国新疆、蒙古国和美国阿拉斯加地区均有同样类型的石器发现的情况，认为这一类型的细石器是从中国分布到北美去的。大小石器不能混为一谈，小石器在使用上不能替代大石器，同样大石器也不能替代小石器。

为了研究旧石器的传统，我自 20 世纪 70 年代中期之前就在东北、内蒙古及其他各地到处奔波，对细石器尤为注意。对上述这些类型的细石器的起源地，有的外国学者认为是贝加尔湖；有的学者认为是中国。我自从详细观察了"北京人"的石器之后，认为细石器起源于我国的华北。因为在"北京人"的化石层里，在其上部发现过许多小石器，有的小石器小到只有两三克重。虽然早期的细小石器和晚期的细石器在打制技术和类型上完全不同，但在其细小上则是一致的。随着时代的前进，生活环境的改变，打制出的石器有所改变和演化，这也是历史的必然。

我在东北、华北、西北各地不止一次地调查，走得最多的是内蒙古和黑龙江，现在回忆起来，仍然十分怀念。我到过的地方很多，但去过后忘记的也很多。有很多有趣的事和一些发现，时间一久，因想不起去的准确时间及一同前往的人员，就只好弃之不写了。1997 年的 6 月 1 日，是杨钟健先生 100 周年诞辰纪念日，他的许多亲朋好友、同事和学生都来我们研究所参加他的纪念活动。我当年的进修生，现甘肃省文物考古研究所所长谢骏义先生也来了。他来看望我时，提到了我们一起做长途调查的情况，又引起了我的回忆。

那是 1974 年 7 月下旬，我和谢骏义、卫奇两位先生，为了寻找旧石器，特别是想搞明白细石器的分布，到内蒙古、山西、宁夏、甘肃等地做了一次长途

读书笔记 •·········
作者为了研究旧石器四处奔波，你从他身上学到了什么样的精神？

名师批注

道理论证——现实中的事物会随着时代、生活环境等发生变化，石器也是如此。因此不同时期的细石器技术和类型不同也是可以理解的。

读书笔记 •·········
生活中有什么事让你印象深刻呢？请分享一下。

旅行。当时，各种事业还没有走入正轨。我们是这年7月30日从北京乘火车出发的。沿途的火车都脏乱不堪。我本来可以坐软卧的，但买不到票，只好作罢。软卧车厢挂得靠后，列车员也是有了乘客才开门打扫。当时吃饭成问题。车进了站，虽说站台上有卖东西的，但也都是一抢而光。

火车走一夜，次日便到了呼和浩特。接待我们的是内蒙古自治区博物馆的人员。当我们参观博物馆时，看见陈列柜里有一个石针，它引起了我们的兴趣。我请博物馆的陪同人员把它拿出来仔细观察。这枚石针呈黑色，有如火柴棍大小，上方下圆，针尖锋利，石质不硬。据博物馆的同行介绍，它出自新石器时代遗址。我看了后认为是新石器时代的人作为针砭治病用的石针。

回到北京后，我和一位老医生谈了这件石针，他非常兴奋，立即叫我给他写了封介绍信，急急火火地去了呼和浩特的内蒙古自治区博物馆（今为内蒙古博物院）。看后老医生非常同意我的看法，也认为此石针是作针砭用的。如果我的推断得到证实，那中国早在七八千年前的新石器时代就有了用石针针刺的治病方法了，石针是医学史上不可多得的宝贵证据。那位老医生临走时，还要求接待他的博物馆的汪宇平先生给他做个石膏模型，结果失败了，不过汪先生还是用木料为他复制了一根。他回到北京后拿复制的木制石针给我看，我看其大小形状都同原来的那根很近似，也是黑色的，只不过外表光亮一些。这些都是后话了。

我们这次在内蒙古活动大约有一个月，内蒙古博物馆葛静微副馆长等亲自接待了我们。首先，汪宇平先生领着我们参观呼和浩特东郊新发现的大窑遗址。这是一处石器制造场。红色沙层里的石器和石片很多，几乎满山头都有石器和石片分布。看来很早以前——距今二三十万年，就有人类在此制造石器了。据村中的老人跟我们说，直到最近还有人在这一带开采火石出售。

这个遗址的发现也是很偶然的。汪宇平先生原是报界人士，自从调到博物馆后，对旧石器产生了浓厚兴趣，潜心钻研。有一次他得知大窑村发现了窖藏的古瓷器，就到那里去为博物馆收购。在老乡家里吃完晚饭后，他从衣兜里掏出一块石片，问老乡这里有没有这东西。老乡说，这里有的是，就在离这里不远的山坡上。结果这个遗址就这么被发现了。

这个遗址应该很好地进行保护，发掘时也应该按照不同时代的地层发掘，切不可混淆在一起。这对以后的研究非常有益。

随后，汪宇平、李荣和其他三位先生加上我们三人分乘两辆吉普车从呼和浩特出发，到四子王旗、二连、集宁等地考察。在包头，我们看到了两个旧石器地点。两个地点位于两个小山包上，相距不远。这两个地点出土的虽然都是细石器，但仍属于数万年前的旧石器地点。

从包头北行到了百灵庙。参观了百灵庙后，在招待所小住了一夜，往西前往白云鄂博，沿途考察石器地点，在白云鄂博之北我们发现了一处细石器地点。从白云鄂博往东行又到了苏尼特右旗，沿途都有发

读书笔记
作者为什么要特意交代这一件事？说说它的作用。

读书笔记
这个遗址被发现的原因有哪些？请总结一下。

名师批注
议论——对于遗址的开发，作者吸收先进经验，并且提出了高要求，这是时代发展的必然趋势。

现。在脑木根这个地方还发现了相当古老的哺乳动物牙齿化石。

从脑木根去二连，我们的汽车沿着中蒙边界行走。中蒙边界线当时有一条 10 米宽的界线，年头久了，已辨别不清。中途遇不到人家，司机不时地停下车来观察方向，唯恐超越了国界，跑错了方向。我们大家也提心吊胆，到了二连后才放下心来。

这次旅行考察，可以说出了包头不久，便进了戈壁地带。所谓戈壁，就是到处都是苹果大小的砾石加粗沙，一眼望不到边。地面缺水，植物稀少，当然也很少见到人烟。我们在出行前准备了好几天，最主要的是要带好修理工具和充足的饮水，为了相互照应，还必须有两辆吉普车同行。途中偶尔能遇到帐篷，它们都支在有一点水草的地方。遇见这样的帐篷，只要你在外面问一声好，就可以走进去，盘腿在地毯或毡子上一坐，会受到主人的很好招待。奶茶是少不了的，帐篷里总烧着水。女主人马上会擦一擦碗，抓上一把炒过的糜子粒，倒上煮好的砖茶，放在客人的面前。几碗入肚，茶中的糜子粒也吃光了。我喝他们的奶茶不喜欢放盐，也不用筷子，喝到最后，碗中的剩米粒用舌头舔几下就吃得干干净净。

完成了对二连的考察，我们又南下经苏尼特右旗到达集宁市（今内蒙古乌兰察布市集宁区）。在集宁我们停留的日子较多，因为在集宁的南郊以前就有人发现过一处细石器地点，我们也曾到那里进行过发掘。这次还想在附近查看一番。我们在集宁市发现这里的领导和群众对古代遗迹非常感兴趣。

他们认为古代人类曾在他们这里居住过是很荣幸的事。他们要求我们在集宁市的剧院礼堂给大家讲一次课，参加的人数还很多。

9月1日，我们返回呼和浩特市。在集宁市时，卫奇先生就告诉我，大同市以东的阳高县许家窑村和与之交界的河北省阳原县的侯家窑村，有的农民在那一带挖"龙骨"，由于砸死了人，于是挖"龙骨"被禁止了。那里的地层里发现了很多石器。我认为这个消息很重要，决定立即到那一带走一趟，做个调查。

我们到达呼和浩特后，没过久地停留，即到大同市，在雁北地区文物工作站负责人、考古学家张畅耕先生的陪同下，前往雁北地区（现属朔州市）考察。考察进行了10多天，除在左云县境内考察石器地点外，也顺便参观了大同市的云冈石窟、大同九龙壁、上下华严寺等古迹。接着又考察了山阴县的鹅毛口新石器时代石器制造场，看到了石锄等农具。这些石器证明了当时已有农业出现。

在朔县（今朔州市朔城区）我们考察了2.8万年前的石器地点。这一地点的石器类型很多，已与后来的细石器有所接近。我们还前往应县参观了久负盛名的应县木塔。最后到了我们非常想看的位于山西省阳高县古城镇的许家窑村。我们在村东南约1千米的一处断崖上，看到遍地是哺乳动物化石碎块，地面上的石器也很多。我当时就断定这是一处非常值得发掘的地方。

在这个地点，1976年春、1977年秋和1979年进行过三次发掘，发现了大量的细小石器和人骨化石及哺乳动物化石。石器制品非常精致，我们还以为是数

读书笔记
作者为什么认为这里非常值得发掘？

万年前的人类制造的。后来发现了人类化石，因其具有许多原始性质，所以时代提到了 10 万年前。这个地点定为"许家窑遗址"。

考察时，卫奇发现，当地妇女的门齿外面多有圆形的凹坑，他认为是饮水中含氟量太高所致。在这里发现的头骨骨片化石，我也观察到它们与正常人的头骨不同，有异断面的内外骨板相夹的骨质呈棕孔状，并非像正常人呈海绵状。这与陕西公王岭发现的蓝田猿人头骨的断面十分相似。此种现象是饮水含氟量高所致还是一种病态，我没搞清楚，因为我不是病理学家。如果有人去研究它的病因，在病史上也是很不得了的事情。所以我认为研究古人类学，必须进行综合研究才能得到突出的效果，就是由于它包括的面很广。

1974 年 9 月中旬，我和谢骏义、卫奇两位先生从大同乘火车到达了宁夏回族自治区的银川市。接待我们的是自治区文化厅文物处处长、博物馆的钟侃先生。在宁夏我们首先考察了贺兰县两处细石器地点和一处新石器地点。值得一提的是，我们参观考察了仰慕已久的水洞沟旧石器时代遗址。

水洞沟遗址是 1923 年法国天主教耶稣会神父桑志华（Emile Licent，1876—1952）和德日进发现的。德日进 1923 年第二次来华，当年即和桑志华从北京乘火车到达包头，然后步行加骑驴到银川。从银川往东南，他们渡过黄河，在离黄河东岸不远处发现了水洞沟的遗址。在这个遗址的黄红色的土层里，他们发现了不少石器。再之后他们东行，在内蒙古自治区萨拉乌苏河附近又发现了萨拉乌苏遗址。水洞沟遗址的石器是大型的，萨拉乌苏遗址的石器是小型的，有的细小石器重量不足 1 克。

水洞沟遗址在灵武县（今灵武市）境内，我们在那里活动了两天又返回银川。当时，银川考古部门正在发掘西夏王朝帝王陵，我们前往参观。只是寝陵既大又深，我没下去参观里面的陪葬物品。

我记得袁复礼先生曾经送给我们研究所一批用红色燧石打制的细石器。那是他参加西北科学考察团时发现的，石器上注的出产地叫"银更"。裴文中和我曾到清华大学问过袁复礼先生"银更"在何地方，但他说记不清了，印象中是沙漠地。我们在这次考察中，边走边打听叫"银更"的地方。据当地人说，叫"银更"的地方很多，"银更"是蒙语，为石磨的意思。在银川时，我们听说附近确实有个地方叫"银更"，不过乘汽车需要三天的时间才能回来，我们只好放弃了此行。

9 月下旬，我们三人从银川乘火车到达了兰州，下榻在兰州饭店。在省博物馆馆长吴怡如先生的陪同下，我们在甘肃省境内考察了 20 多天。国庆节前，我们从兰州乘汽车去了武威，先到民勤县红崖山水库附近，考察新发现的象化石地点，而后到永昌县的河西堡，考察鸳鸯池五六千年前的属于马厂文化（青海省民和自治县马厂塬遗址，曾出土了大量四五千年以前的彩陶，属新石器时代晚后期）的墓地。

我还记得，在新中国成立前夕的 1948 年，我曾随裴文中先生和刘宪亭先生等前往民勤境内进行过考古调查。那时当地的百姓缺吃少穿，生活非常贫苦，

读书笔记
请查阅资料，并在地图上指出这个地方。

名师批注
叙述——在行进的过程中，作者也遇到过不少遗憾，这是人生的必然组成部分。

171

名师批注

对比——新中国成立前和成立后，人们的生活状况完全不同，这是新中国带来的变化，作者为此感到高兴，也为自己的祖国感到骄傲！

读书笔记

从作者的嘱咐中，可以看出他当时是什么样的心情？请用两个词概括。

名师批注

描写——作者详细地介绍这个发现物的形状，的确很像一把短剑，作者的判断十分合理。

读书笔记

作者为什么要如此详细地介绍这把短剑的制作过程？

我们考察有时坐的是马拉的大轱辘车，车轱辘很大但不圆，在沙漠地里走起来咕咚咕咚的。现在再次到那里，情况完全不同了，一色的柏油路面，路的两侧是高大的杨树，水库中的水非常清亮，微波荡起，泛起片片粼光，真是远非昔日可比。

我们这次到鸳鸯池考察，是因为这里发现了镶嵌在骨柄上的小石片。这一消息是在这次长途旅行前，甘肃省文物局局长王毅先生到北京来告诉我的，这引起了我极大的兴趣。我立即请王毅先生往当地发电报："务必使这个发现物保持原样，连小石片也不要卸下来。"这次到了甘肃，当然不能放过目睹的机会。

1997年6月初，谢骏义来我家时，我们又谈到了鸳鸯池的这个发现物。他说是石刀，我记忆中是把镶嵌石片的短剑。因为从形状上看它和剑十分相似，骨制的剑身一端很尖利，中间还有直竖隆脊，在尖端和两侧有挖制的沟槽，沟槽中镶有连接的薄而直的细石叶。这种细石叶在细石器遗址里常能见到，但大多未引起人们重视。最受重视的是各种类型的石核。其实使用的倒是由石核打击下来的小石片（或称小石叶）。

小石片从石核上打击下来时，石片有向内面弯曲的弧面。当把小石片的两端掰去，剩下中间的一段，看上去就很直。两端很平的细石叶，再把它彼此衔接起来就是很好很直的刃，而且可以随意衔接长短。如果我的记忆无误，我认为，在目前来说，它是世界上最早的剑。后来的铜剑无疑是由它演化而来的。

工作告一段落，我们返回兰州。国庆过后，我们又由兰州经平凉去了陇东。去陇东的目的是到庆阳城北三里铺访问当地的老农民和天主教老修女，想从当年给桑志华挖掘化石的老人那里，了解一下当时挖掘的情况和地点；从当时在桑志华神父管辖下的修女那里，了解当时桑志华工作的情况。因为年代久了，如果不加记载，就会丢失这一段历史。桑志华于1920年在这一带发现了许多哺乳动物化石和石器，石器距今已有数万年的历史。石器地点有两处，均在黄土中、底部，这在中国是首次发现。现在他采集的化石绝大部分还保存在天津北疆博物馆，即现在的天津自然博物馆里。

最后我们在王毅先生的陪同下，南下到天水的麦积山。我们调查了天水地区的化石地点，并做了此次旅行的工作总结。10月内我们完成了一切工作，我和卫奇先生由兰州登上了返回北京的列车。

我以66岁之身参加这次长途旅行考察，我因能为本门学科奋斗不息而感到满意。前人曾教导我，搞好这门学科要"三勤"，即"口勤、手勤、脚勤"，虽然只有六个字，我却深刻地感受到这六个字对我的成长和成才带来了莫大的教益。研究古人类学、旧石器考古学及古生物学和研究地质学一样，如果不亲自去跑、去看、去找，只仰仗向别人要点材料做研究，是永远也不会成功的。

从死神身边逃脱

在我的一生中，我曾几次被死神攥在手里，又几次逃脱。

1975年7月至8月间，我和人类学家张振标先生

名师批注

说明——每一段历史都应该被铭记，学者们做出的伟大贡献不能被遗忘！

读书笔记

作者的感悟让你学到了什么？

名师批注

总起下文——开头即概括了文章主要内容，又让人好奇作者会如何讲述死里逃生的经历，吸引读者。

由魏正一、于凤阁等先生陪同，到黑龙江考察。我们先乘火车从哈尔滨到牡丹江，之后改乘吉普车南行，准备前往镜泊湖东岸一带。我与张振标先生坐的一辆车，走在前边。在离宁安县（今黑龙江宁安市）城不远的地方，吉普车机器盖忽然冒了烟，司机当即停车打开前盖，只见一下喷出很高的火苗。他一边大声喊叫"你们快跑，跑得越远越好"，一边脱下衣服抽打。我们并没跑，我叫张振标先生到公路旁的水沟里抠出连水带草的泥，递给我。我往火苗上拽。火被扑灭了，我们可都吓出了一身大汗。过后回想这事，我觉得司机用衣服拍打还真不如我们用泥拽好。

名师批注
动作描写——遇到危险时，学者们并没有选择落荒而逃，而是努力扑灭火苗，这需要莫大的勇气。

等后边的那辆车到了，我们坐上并赶到镜泊湖招待所已是下午了。这个招待所是为苏联专家建立的，并不对外。我住的那间房，我们科学院的老院长郭沫若曾经住过。房间里还摆放着纸笔墨砚，显得非常文雅。只可惜住了一夜，又出发了。

沿着镜泊湖东岸南行，在离吉林不远的地方我们考察了一个石器地点。这个地点出土的石器是用黑曜石打击而成的。这在我国还从未见到过，黑龙江省博物馆已派人在那里发掘和研究。这和我所要找的细石器完全不同，应属于另一个文化传统。适值吉林省博物馆的姜鹏先生前来接我们，我们又去了长春。参观了吉林省博物馆后，我动身返京。张振标先生在长春尚有其他工作，稍后才走。

第二年，即 1976 年 7 月份，我们研究所组队与黑龙江省博物馆的研究人员一起，又赴黑龙江省的最北端十八站进行发掘。7 月底当地驻军对我们说，唐山发生了大地震，唐山、丰南地区损失很大，死伤人数很多，地震波及了天津市和北京市。大家一听，都很担心家里及研究所的情况，很是不安。幸而很快收到了所里发来的电报："所里和家里情况都很好，不必挂念。"大家心里才踏实一些。

工作结束，我从哈尔滨乘三叉戟飞机飞回北京。飞机很大，坐着很舒服。这和1937年我由昆明到西安、1948年从北京飞往兰州所乘的飞机真有天壤之别。这也只是感觉，我无心浏览这架飞机的一切，心里恨不得快点到北京。地震后的北京，所里、家里都不知成什么样了。

从机场到回家的路上，沿途一切都变了样，大街上到处都是搭的地震棚，就连市政工程用的大水泥管也成了临时住所。到了家一看，院子里也是一个挨一个的地震棚。有的地震棚上遮着油毡，有的是塑料布，有的是床单，还有的糊了些报纸、牛皮纸之类的，五花八门，什么样的都有。我所住的楼也受到了损坏。在楼下的不远处，我们搭了一间小棚，我住在里边真像过着原始的生活。

没有多久，国家文物局局长王冶秋先生找到我，说："请你再前往内蒙古一次如何？他们在呼和浩特市东郊发现的材料还须去帮助发掘和研究，到了那里提一提意见也好。"我与老伴和长子贾彧彰商量，他们都认为我到内蒙古待些日子比在地震棚里要好，所以我就答应了，由于这次再到内蒙古是王冶秋局长请的，所以受到了很好的接待。

到了呼市，第三天我们就到市东郊的大窑村详细

读书笔记 ·················

请查阅资料，了解当时唐山大地震的发生对人们造成的影响。

名师批注

心理描写——地震牵动着学者们的心，即使再美好的景色也无法抚平他们对家人和家乡的担忧。

名师批注

环境描写——地震之后，到处都是一片破败的景象，言语能表达的也许只是当时惨状的万分之一。

读书笔记 ·················

家人们为什么会同意作者去内蒙古？

查看。我们在这个地点所处的小山周围粗查了一遍，直到下午日将落山，才返回呼市，我乘的还是吉普车，按照习惯，我坐在前排司机的旁边。我看到车子开得很快，就嘱咐："开慢一点。"司机只是"哦哦"地答应，也没慢下来。突然车子失控，蹿出公路，向路旁成排的树中间冲过去。还没等我喊出声来，车子已向前折了个360度的大跟头。含在口中的烟斗和我的眼镜一下子飞了出去，当时我就晕了过去。

大家把我送进了一家医院，直到第二天我才清醒过来。这里的医院有医无药。内蒙古博物馆的一位女馆长从朋友处好不容易找来点什么霉素，放在窗台上，转眼工夫就丢了。最后上报了这件事，他们才从军队的药库里，得到了急需的药品。

我醒过来，守护在旁边的人才放了心。据他们说，我们同行的几辆车，都被我乘的那辆吉普车远远地甩在了后面。最先看见我那辆车出事的，是一位正在骑自行车的青年妇女。她扔下车跑了过来，见吉普车顶已塌，我坐的那边的门已掉了下来，我的上半身落在地上。她正想把我扶起来，后面的车到了，大家七手八脚地才把我送到了医院。

见我醒来，民警也来了解情况，问我是否车开得太快。我说："不快，是路滑造成的，因为出事前刚下过雨。"幸而司机很机智，擦着树的间隙而过，否则非车毁人亡不可。民警虽对我的话半信半疑，但由于我语气肯定，一口咬定是路面造成的事故，他也只好把证件退还给司机。司机一家人都指望着他挣钱生活，我岂能不为他说点好话呢？

回到北京后，司机一家人还专程来北京看望我，感谢我的"救命之恩"。我对他说："有'救命之恩'的是你不是我，你要是开车撞到树上，咱俩不就都玩完了吗？"

读书笔记 •·········
作者的回答有什么含义？

我遇险后，王冶秋先生和我们研究所商量，先对我家里保密，看看我的伤情再说。没多久，我的身体渐渐好了起来，骨折的胸骨也长好了，还可以下床走动几步。这时北京大学考古专业（现在的考古系）吕遵谔教授前来看望。他详细问了我的伤情，我说，其他恢复得很好，只是胸部还有阵阵疼痛。最后他叫我亲自给我老伴写封信，谈谈我的情况，免得家里挂念，我照办了。吕先生回到北京后到我家，把信拿出来给她看。老伴问："既然伤都好了，怎么不回来？""让他多养几天，养得比以前还健壮再回来不更好吗？"

名师批注

语言描写——为了不让作者的妻子担心，吕先生以幽默的语言安慰她，体现了吕先生有趣的一面。

我在内蒙古的医院住到了初冬，医院还没烧暖气，几位司机拿来了一个大电炉子给我取暖。又过了不久，我们研究所的刘静波先生来到呼和浩特，接我出院。几天后我俩乘飞机回到了北京。

我们的研究所在北京德胜门外祁家豁子，我住的宿舍也在大院之内。由于地震的破坏，宿舍成了"危楼"。所里照顾我，把图书馆的一间房腾了出来，让我们夫妇居住。后来，我的次子把我们接到他家里住了一段时期，我的身体才渐渐恢复正常。

这次翻车几乎丧了命。直到现在朋友还拿我开玩笑，说我是最出色的特技演员。场面惊险有三：第一，车子失控后，蹿到路旁树的空隙之间，没撞到树上；第二，车子向前翻了360度的跟头，车棚瘪了，

读书笔记 •·········
结合下文内容说一说，为什么朋友们称作者为"最出色的特技演员"？

车门掉了，挡风玻璃碎了，我的下半身还在车里，上半身横在车外，嘴里叼着的烟斗和戴着的眼镜飞出很远，我的头没碰伤，满脸满身的玻璃碴子也没把脸和身上划伤；第三，车棚上的横梁断了，我戴着的一顶蓝布帽子挂在了上面，只差 1.2 毫米，我的头就会被断梁穿个窟窿。大家都庆幸我能活下来，说我是大难不死必有后福。其实后福有没有说不清，但大难不死是有的，而且不止车祸这一次。

最危险的是 1988 年，我得了一场大病，说句文雅的话，差一点"与世长辞"。

那年，正值我 80 岁。一天清晨，我上厕所，发现大便发黑，老伴看了认为是便血，劝我到医院去检查一下。当时我们研究所已经迁到了西直门外大街 142 号——北京动物园附近。我的家也搬到了院内宿舍。我到了人民医院，大夫为了确诊，叫我住院检查。肠镜的结果是结肠癌。但是医德高尚的外科荣大夫对我说是横结肠上长了一个腺瘤，劝我还是动手术切掉好，不然会越长越大。所里的领导及我的家人都知道病情，只瞒着我，怕我思想上有负担。我还是几年之后，偶然翻看了当时的病历，才知道了真相。

术前我做了各方面的检查，特别是血。医生说按照我的年龄，这血不像是我的，更像是年轻人的。如果手术时间不长，就不给我输血。

手术那天，我的家人都来了，他们目送着我被推进手术室。大夫按着肠镜的检查结果先在我的右胸下横着开了一刀，取出横结肠，但怎么也找不到肿瘤。再找还是没有。拖了很长时间，聪明的大夫突然想到是不是检查的结果左右错了位。他立刻把刀口缝合，又在肚脐左上侧竖着开了一刀，才找到病点。结果切除了大约 25 厘米的一段结肠，把小肠和大肠连在了一起。手术原来只需要一个半小时，这回用了六个多小时才完成。麻醉师看我手术时间太长，失血过多，还是给我输了 800 毫升的血。这次输血可给我带来了灾难。

出院之后，头几天自己感觉良好，不久就感到四肢无力，瘫软得连衣服都不能自己穿，接着眼睛和脸色变得蜡黄。我患上了肝炎。这是输血造成的，我输进了带肝炎的血。当时，各单位都组织献血，有的人体检很正常，但让一些以卖血为生的人代替献血，所以从血库拿来的血，也有"假冒伪劣"的。

经人介绍，我住进了中日友好医院。那里有传染病房，但病人太多，没有单人病房，我只好和一位年轻的外地患者同室。虽然病魔缠身，腿浮肿得厉害，浑身无力，但我心情很开朗。大夫叫打针就打针，叫吃药就吃药，积极配合大夫治疗，我成了这个传染病科的最佳病人。大夫经常以我为例，劝说一些思想有包袱的病人。

与我同室的那位病友，不听大夫叫他少吃东西的劝告，叫妻子到街上买了两碗饺子，偷着吃下。吃后他就感到不舒服。大夫知道后很恼火，马上对他进行救治。为了抢救方便，大夫把我换到了另一间病房。当天夜里他就死了，是死于胃出血。 人的"生"与"死"就像一层窗户纸，一捅就破，死是多么容易呀。

我的水肿越来越厉害，从脚一直肿到了肚脐眼。虽然每天用药物排尿，但仍时好时坏。大夫用红小豆

名师批注

叙述——因为医疗的限制，手术过程被延长，可见当时医疗条件的落后，但是作者选择乐观面对。

读书笔记·········

你身边有没有献过血的人？献血有什么好处？

读书笔记·········

为什么这个患者最终会去世？

名师批注

比喻——生死只如一层窗户纸，脆弱经不起折腾。我们要珍惜自己的生命，尤其是生病的时候一定要遵照医嘱，相信医生！

和鲫鱼煮汤，要我天天喝，但我一点胃口都没有。说实在的，这汤比药难咽。

为了增加营养和增强抵抗力，大夫建议我打"胎盘白蛋白"。这种东西，医院里美国、日本和我国香港产的都有，但怕有艾滋病毒，不敢用，大夫叫我最好自己想办法，找国内产品。当时国内产的胎盘白蛋白很难搞到，只有献血者才能买到一瓶。我们想尽各种办法，到处托人，最后总算买到了33瓶。我每天注射1瓶，不想病还真有好转。

给我看病的主治大夫是位年长的老大夫，他认为我已是80岁的老人，要保守治疗。可是另外两个年轻大夫，认为我虽然年纪大，但体质好，又没什么其他病症，准备为我来一下"恶"治。

他们叫我服大量排尿的药，每天认真记录，接着打白蛋白和补钾。几天下来，弄得我一丝力气都没了。可喜的是，我的水肿渐渐消退了。老大夫听说后，也很高兴，对我说："每天这样大量排尿，身体能支持下来真是不容易。打白蛋白等于借钱吃饭，你还得自力更生来养活自己。"这话说白了，就是叫我自己吃东西。从此我就尽量吃，不爱吃的也要吃。饭量增多后，就逐渐减少白蛋白的用量。我的身体渐渐恢复，不久各项指标均达到了正常人的水准。经大夫同意，我被转到了康复病房。

康复病房窗明室亮，有卫生间，有电视，有冰箱，有电话，比一般病房舒适多了。大年三十，在北京的妻儿老小还自己动手包饺子，我们在康复部的伙房里，吃了一顿团圆饭。

> **名师批注**
>
> 叙述——作者尽力配合医生的治疗，由此也给自己争取了生的机会，这是人生大智慧！

> **名师批注**
>
> 叙述——在大年三十，即使生病，作者一家人也热热闹闹地过了一个春节，家庭的温馨对作者来说也是良药。

80岁的生日，我是在中日医院度过的。亲朋好友，在医院的病友和大夫，都来为我祝寿，有的送花，有的送字，历史博物馆还专门给我送来了特意为我制作的老寿星。他们把我当成小孩子，我对此感到十分高兴和幸福。

春节过后，我已经能独立生活了，吃饭、上厕所已不用人照顾。孩子仍日夜陪伴着我。我以为用不了多久就可以回家了，却又遇上了倒霉的事。

一天早晨，医院雇用的卫生员打扫完房间后，打开窗户，准备擦玻璃。一阵凉风袭来，吹得我打了个冷战。下午我就发高烧，我又得了肺炎。每天打吊针，就是高烧不退。医生通知了单位和家属："看样子他出不去医院了，要做最坏的打算。"死亡之神又围着我转来转去。"人之将死，其言也善。"在我清醒的时候，我就想，自己一生是否做过坏事，是否有对不起别人的地方呢？我孝敬父母，善待儿女子孙，只是因工作关系对他们照顾不够，没利用自己的职位为他们安排好工作，这是我"能量"有限。再说，不依靠别人，对他们以后的生活也有好处，他们也会谅解的。想来想去，我不欠人情债，心情反而踏实多了。唯有在工作上我还没有对自己提出的三大课题即人类起源的地点、人类起源的时间、人类在演化过程中先进与落后同时并存的"重叠现象"有所突破，因而有些着急，但天命难违。

还有一句古话，就是"人生七十古来稀"。我已活到80岁了，赚头还不小，我的老师或前辈们大多没我活得长。裴文中活到78岁，魏敦瑞活到75岁，德日

读书笔记 ⋯⋯⋯⋯⋯⋯

为什么生日时被当作小孩子，作者还感到幸福？

名师批注

过渡——上一场病还没有结束，下一场病又来了，令人揪心。

读书笔记 ⋯⋯⋯⋯⋯⋯

从作者的反思中可以看出他具有怎样的品质？请用一个词概括。

名师批注

心理描写——生死关头，作者依旧心系科研，只为自己的研究而心急，可以说他一生都奉献给科研了。

名师批注

对比——面对死亡，作者还有心情与他人比较，觉得自己赚了，这一份乐观的确非常可爱。

进活到 74 岁，杨钟健先生也只活到 82 岁；我的父亲活到 73 岁，我的母亲活到 84 岁，我还有什么不可撒手人寰的呢？俗话说"不做亏心事，不怕鬼叫门"，我虽不信鬼神，但觉得这句话有一定的哲理。

读书笔记 ·················
作者面对死亡的态度给了你怎样的启发呢？

大夫看什么药对我也不起作用，就决定给我注射"先锋 5 号"，如果"先锋 5 号"作用不大，就只剩下"先锋 6 号"了，再也没有别的办法。不想我的烧渐渐退了，精神也慢慢好了起来，死神再一次被我从身边赶走。

1989 年 4 月底，我出院了。出院之前，大夫、护士长及护士们为我祝贺，问我："怎么会好的？"我说："是你们给我治好的，怎么问我呢？"大夫说："这不单凭我们的治疗，最重要的是你对疾病不畏惧，有战胜疾病的信心，能很好地配合我们。"不怕死的心，我是有的。但什么信心，当时我还真没力气想这些。

读书笔记 ·················
作者认为这是"后福"，从中你学习到了要以怎样的心态面对人生不测呢？

出院后，我一心在家疗养，在小书房里看寄来的信和书。过了一个多月，我的元气恢复了，我又开始趴到桌上写东西——总是这样，每次遇险和大病之后，我都能有时间安下心来总结一下过去的调查和研究，安安静静地写点东西。对我来说，这算是大难不死的"后福"吧。当然，一些国内、国际的学术会议，在我身体许可的情况下，我是尽量参加的。听听同行们的新观点，互相交流一下意见和建议，可以使自己增加很多新的知识。

路途依然遥远

我这个人喜欢遐想，但又不是漫无边际。比如，在山顶洞、辽宁省海城小孤山遗址发现了骨针，由此推断当时应该有"衣服"。什么叫衣服呢？如果用兽皮，肩冷披肩，腰冷围腰，就像我们用毯子裹住自己，那叫衣服吗？当然不是。我想只有把兽皮用针缝缀起来，不管缝制技术有多粗糙，这样的东西才能叫衣服。当初制作衣服并不是为了美，而是为了御寒。有了御寒的能力，人的活动范围就扩大了，适应和生存的能力也增强了。

名师批注

下定义——对于人类历史上的"衣服"的含义，作者自有见解。

在 1991 年第 3 期的《大自然探索》上我发表过一篇题为《人在何时登上了美洲大陆？》的文章，文章中我认为细石器起源于我国华北，经蒙古国和我国的东北、宁夏、内蒙古到东西伯利亚，最后通过白令海峡进入到北美。细石器的主人要想追猎大兽，通过白令海峡，必须有两个不能忽视的条件：一得会人工生火；二必须具有用针缝缀皮衣的本领。

读书笔记

请在地图上画出作者所认为的细石器起源和传播路线。

从石器上看，从 100 多万年前到 1 万多年前，有不同的传统，也有继承关系。一代接一代，一茬接一茬，这当中一定有传授的方法。这种传授方法除手把手地教之外，还应有一种解释的能力，使别的能工巧匠懂得自己的意思。这种解释能力就是语言，尽管语言很简单。俗话说"人有人言，兽有兽语"，人的语言又是何时才出现的呢？

又如，在山顶洞发现了很多的装饰品，这些装饰品都有孔，可见当时穿孔很普遍。这些装饰品除了起装饰作用之外，也可能还有其他用途，如计数或者作为权力、英雄的象征等。不能否认，2 万年前的人就有了爱美之心。

读书笔记

这些装饰品可能还有什么作用？

干我们考古这行的，特别是史前考古的人，要有丰富的想象力，想象力来源于知识，而知识的来源就是学习，随时随地向别人请教和实践。

不瞒众位，1937年初，我和卞美年先生初次去云南的时候，就露过怯。我们到了云南，听说有一种很好吃的"过桥米线"，是云南的特色小吃，我们一行三人当然想品尝。走进饭馆，点了"过桥米线"，不一会儿，伙计在我们每人面前送上一碗汤，我以为这和吃西餐一样先上汤，就迫不及待地喝了一大口，紧接着又"哇"的一声，赶快吐了出来，这时，我口中已烫起了泡。我看汤并没冒热气，不想这么滚烫滚烫的，当然特色小吃也没吃成。

后来请教一位老人，才知道"过桥米线"的来历。据说，从前有个年轻的读书人，已经娶了妻。为了不受家人的打扰，他每天到庙中苦读。他家和庙之间有条河，河上有座桥。每到中午，妻子都为他送带汤的米线（用大米粉做成的面条），可是送到后，汤总是凉了。后来她想了一个主意，在烧好的汤上浇上一层油，不使热气跑出来，让丈夫把米线和肉片涮着吃，这样既热又好吃，这就是"过桥米线"。真是不经一事不长一智。

我们考古工作，也有相似的事。1959年，北京举行"'北京人'第一个头盖骨发现纪念会"，广东来的代表带来了一件在东兴县（现为广西东兴市）贝冢（坟墓似的东西）中发现的石器。这是一块两面打击而成的石片。从形状上看，它很像欧洲二三十万年前阿舍利时期的制品——手斧，与我国以往所发现的石器有很大不同。同年年底，我与戴尔俭、刘增等先生一起赴广东省东兴县考察。

陪同我们一起考察的还有广东中山大学的梁钊韬教授和黄慰文先生；广东省博物馆的杨豪、莫稚、梁明燊等先生。我们先后对东兴、南海的西樵山、翁源的青塘等地进行了考察。东兴靠海边，贝冢很多。在县西北大围村东茅岭江出口处的杯较山，我们从三处贝冢里发现了贝壳和遗物。贝冢中打制的石器也很多，石器的尖端都是钝而圆的，这证明使用的部位是尖端。这些石器是干什么用的呢？我们考察的人都说不清。向当地群众请教，也没问出个所以然。后来还是一位老人家告诉我们说这东西叫"蚝蛎（牡蛎）啄"，是专门用来打破蚝蛎壳，再挖取蚝蛎肉的。现在的人早已不用它，而改用铁钩子。退潮之后，我们亲眼看见很多小孩用铁棍敲开巴在石头上的蚝蛎，再用钩把肉钩出来，装进篮子里。

在贝冢里我们还发现了一个骨制的箭头。箭头是毫无疑问的，但它尖端钝圆。这是为什么呢？经过多方请教才知道，这是用来射羽毛艳丽的鸟的。带尖的箭头，会将鸟射出血，鸟死亡后，羽毛就会失去原有的艳丽。不问，不学，不亲眼看见，当然就学不到这么多知识，再遇到相似的东西也无从解释。虽然贝冢中的磨光石器属新石器时代，但这种箭头的发现可以证明贝冢的时代有早有晚，晚到可能有史记载。

我们从北海市乘汽车返回广州，因路途遥远，中途我们在一户渔家过夜。一进门我就看见墙上挂着的渔网。使我好奇的是，网坠不是铁或铅的，而是海蚶壳。海蚶壳的凸出部分被磨成孔或钻成孔，然后成串地系在网上。我向渔户请教这种网的用途，渔户说这种网是拉虾用的。把成串系有海蚶壳的网绑在船的一侧，人横推着船在海中走，海蚶壳就能发出哗啦啦的响声，虾即向船上乱蹦。

这使我想起了在山顶洞发现的海蚶壳，我们把它们都当成了装饰品，是否它们也像这里一样用作网坠呢？如果真是这样，1万多年前的山顶洞人不是也有捕鱼捕虾的生活手段吗？当然这只是联想，还没有进一步的材料证明，不过如果不是亲眼所见亲耳所闻，谁会想得到呢！当然我们主要研究的还是古人类和他们遗留下来的文化——旧石器。

人是何时由猿演化而成的？人的起源地到底是哪里？人又是如何一步一步发展成今天这个样子的？这些问题，世界各国都在研究，但至今还没有头绪。自从1929年12月2日下午4时，我国北京周口店发现了"北京人"第一个头盖骨以来，我国先后又发现了蓝田人、元谋人、郧县（今十堰市郧阳区）猿人、郧西猿人、和县猿人、沂源猿人等直立人化石，金牛山人、丁村人、长阳人、马坝人、许家窑人、河套人、山顶洞人、柳江人等早晚期的智人化石，以及很多的旧石器遗址。

新中国成立后，在党和各级政府的大力支持和关怀下，我国的古人类化石研究和旧石器考古事业得到了飞速发展。从考古发现中我们证实了"北京人"不是最原始的人，"北京人"只不过是人类进化长河中的一个阶段，一个环节。要认识人类的起源和进化的过程，缺环还太多太多。尽管在我国找到了很多个缺环，但还不能把一个个环串联起来。再说，这些问题也是全世界古人类学者和旧石器考古学者共同的课题，要搞清楚它们，不是一个国家的学者或一代人两代人能完成的。

目前，随着科学的发展，分子人类学出现了，一些学者利用基因方法来测定人猿分离的时间，当然它不能完全解决问题。体质人类学仍占有重要位置。骨骼化石特别是头骨化石显示出来的进化特征最明显。学者们可以从头骨的特征上观察出原始与进步、年龄和性别来，从而容易确定其在演化上的位置和与其他人种的关系，甚至连他活在世上时的相貌都可以塑造出来。"北京人"、山顶洞人的复原像就是根据发现的头骨塑造出来的。

提到复原像，我还想起一个真实的故事。二十几年前，南京郊外的一片树林中，有人发现了一具女尸，马上向公安机关报了案。公安人员来到现场，发现尸体已经腐烂。尸体头部腐烂得很厉害，面容一点也辨认不出来。尸身上无任何证件，根本不知她是谁。叫有失踪亲属的人来认，由于尸体相貌不清，也没人认出。没办法，公安人员找到我们研究所。我所派了一位老技工去，帮助办案。根据对头骨的测量，老技工很快复原了女尸的头像。一位老太太一眼就认出了这是自己的女儿。案子很快就破了。至于怎么破的、凶手是谁我们不必管了，我只想就此说明头骨的重要性。

人类化石是人类进化过程中的重要证据，它很难找到，发现人类化石是可遇而不可求的事。所以人类

读书笔记

作为现代青少年，我们可以做些什么为解决这些问题做贡献？

读书笔记

请查阅资料，了解"北京人"和山顶洞人的复原像。

名师批注

叙述——对古人类的研究成果，可以运用在现实之中，这就是科学研究的意义。

化石是研究人类起源、进化极为珍贵的材料。但愿这些人类的祖先给我们发现他们的机会，使我们把环节串联起来，使我们能够充分地了解自己是怎样变成今天这个样子的。

分子人类学的兴起是件好事，体质人类学和分子人类学相互印证，给研究古人类带来更大的益处。随着科学的不断发展，或许还有更先进的方法，这又当别论了。

20 世纪即将过去，21 世纪即将来临。随着中国改革开放的深化，中国经济上的崛起，党的科教兴国政策的实施，在科学和文化领域内必将会有一个欣欣向荣的崭新面貌。有人称 21 世纪是中国在各个方面全面发展的世纪。我在上海《科学画报》1992 年第 5 期《21 世纪科学展望》专栏中谈到，人类起源和演化研究中的三大问题是 21 世纪我们这门学科的研究课题。它们是古人类研究中最引人注目也是最富有魅力的课题。从 20 世纪初这门学科在我国兴起到目前为止，它们还没有令人满意的答案。这三大问题就是：人类起源的地点、人类起源的时间、人类在演化过程中的重叠现象。

关于人类起源的地点，过去有人认为是欧洲，因为欧洲研究古人类的历史比较早，最早发现的有关人类化石的地方是欧洲。随着古人类学的发展、古人类化石和古文化的不断发现，欧洲是人类起源地的说法没人赞同了，就连欧洲的学者也承认人类并非起源于欧洲。后来非洲发现了古人类化石，有人就认为人类起源地是非洲，不久亚洲发现了古人类化石，又有人认为人类起源地是亚洲，这个问题就像"墙头草"一样，总没有定论。

美国自然历史博物馆的人类学家奥斯朋在1923年提出：人类的老家或许在蒙古高原。他的论点是，最初的祖先不可能是森林中人，也不会从河滨潮湿多草木果实的地方崛起。只有高原地带环境最艰苦，人类在那里生活最艰难，因而受到的刺激最强烈，这反而更有益，因为从这种环境中崛起的生物对外界的适应性最强。

著名的古生物学家马修1911年在纽约科学院宣读了一篇《气候与演化》的论文。论文中他支持1857年利迪提出的人类起源于"中亚"的论点。利迪认为，在中亚高原或其附近地带出现了最早的人类，这个地区具有完整记载的古老文化。不过利迪的论点没被人们重视和接受。

我的观点是人类起源于亚洲南部即巴基斯坦以东及我国的广大西南地区。其原因是1965年在我国云南省元谋盆地发现了170万年前的元谋直立人的牙齿化石，1975年在我国云南省开远县（现为开远市）和禄丰县（现为禄丰市）发现了古猿化石，开远和禄丰化石出土的褐煤层距今约有800万年历史，处于中新世晚期到上新世早期。这种古猿最初定名为拉玛古猿（由于研究者多次更名，我无法适应，所以仍用原来的命名），最带有人的性质，曾被誉为"尚不懂制造石器的人类的猿形祖先"。自元谋人的牙齿被发现后，近年来云南元谋县班果盆地又接连不断地发现了人超科化石，这更增加了人类起源于亚洲南部的可信度。

值得一提的是，1975年中国科学院古脊椎动物与古人类研究所的专家们，到喜马拉雅山山脉中段和希夏邦马峰北坡海拔4100～4500米的古陆盆地调查，发现了时代为上新世（距今500万年～200万年）的三趾马动物群。除三趾马外，还有鬣狗、大唇犀等。从三趾马的生态环境看，那里多是森林草原的喜暖动物。根据地层中的孢子和花粉化石分析，此地曾生长椎木、棕榈、栎树、雪松、藜科和豆科类植物，都属于亚热带植物。

读书笔记 ••••••••••

从专家们的发现中，你能得出什么结论？

名师批注

列数字——经过学者的研究，让人们了解了希夏邦马峰地区的具体气候，由此可知当时此地非常适合人类生存，也就佐证了作者的观点。

上新世的时候，喜马拉雅山的高度约1000米，气候屏障作用不明显。中国科学院组织的珠穆朗玛峰综合考察队，于1966～1968年连续三年在那里进行考察和研究。郭旭东先生发表了论文，文章中认为：在上新世末期（200多万年前）希夏邦马峰地区气候为温湿的亚热带气候，年平均温度为10℃左右，年降水量为2000毫升，以上这些条件都适合远古人类的生存。我在1978年出版的《中国大陆上的远古居民》一书中就这样表述过："由于上述的理由我赞成'亚洲'说，如果投票来选的话，我一定投'亚洲'的票，并在票面上还要注明'亚洲南部'字样。"

名师批注

疑问——人类起源的时间仍旧是一个没有定论的话题，除了事实证据不足之外，还需要统一关于人的定义的问题。

关于人类起源的时间也是我感兴趣的问题。人是由猿进化来的，已经没有疑义了，那么人猿相揖别是在什么时候呢？人是与猿刚有区别的时候就应该叫人了，还是从能制造工具的时候才算是人呢？恩格斯关于"劳动创造人""劳动是从制造工具开始的"的学说过时了吗？

周口店的"北京人"被发现之后，我们才知道人已经有 50 多万年的历史了。在这之前连说人有 10 万年的历史都叫人难以相信。我和王建先生在研究了"北京人"使用的石器后，认为它的加工很精细，又有各种类型，证明其使用时用途有所不同，"北京人"有使用火和控制火的本领，因而提出了"北京人"不是最原始的人的论点。我们发表了《泥河湾期的地层才是最早人类的脚踏地》的短论，这引起了长达四年之久的争论。

在这之后，相继又发现了比"北京人"更早的人类化石和遗物，如元谋人、蓝田人化石；西侯度、东谷坨、小长梁等地的石器，这些物品有 100 万年 ~ 180 万年的历史，比"北京人"生活的时代早得多。这证明了我们的论断是正确的。随着世界各地不断又有新的发现，我认为最早的石器还应该到目前认为的第三纪地层中去寻找。因为目前发现的石器都有了一定的类型和打制技术，不能代表最早的技术。

目前谁也不敢说什么样的石器是最早的石器，但可以肯定，人类从认识什么样的石头适于制造石器，根据不同的用途加工成不同类型的石器，即使加工得很粗糙，也不是很短的时间能够完成的，这是人类在与自然界的斗争中经过长期实践而总结的结果。我在 1990 年发表的《人类的历史越来越延长》一文中说："我认为根据目前的发现，必将在上新世距今 400 多万年的地层中找到最早的人类遗骸和最早的工具，人能制造工具的历史已有 400 多万年了。"

说来也巧，我这篇文章发表不久，美国人类学家就在非洲发现了 400 多万年前的人类化石。1989 年在

读书笔记
作者和王建先生是以怎样的逻辑来论证自己的观点的？请具体说一说。

名师批注
列数字——这些石器的年代是可以准确判断的，并且明显比"北京人"出现要早，说明"北京人"并不是最早的人类。

名师批注
议论——事物总是由简单到复杂进行发展的，所以"北京人"石器现今的工艺正说明他们必定不是最早的人类。

美国西雅图举行的"太平洋史前学术会议"上我曾建议把地质年表中的最后阶段"新生代"一分为二，把上新世至现代划为"人生代"，把古新世至中新世划为"新生代"。这样的划分似乎比过去的划分更明晰。

人类在演化过程中的重叠现象是个非常复杂而又十分棘手的问题。我发现人在演化过程中不是呈直线上升的，而是原始和进步同时并存的，我把它称为"重叠现象"。这种表现最为显著的是辽宁营口县（今营口市）发现的金牛山人和周口店的"北京人"。根据地层学和哺乳动物学的调查研究和年代的测定，金牛山人生活在 28 万年前，属于"原始智人"。"北京人"则生活在距今 70 万年 ~ 20 万年这一阶段，他们之间的体质变化不大。这就说明，先进的金牛山人出现时，落后的"北京人"的遗老遗少们还依然生存于世。他们彼此间还可能见过面，也可能为了生存彼此间还打过架。这种重叠现象，并非仅在中国存在。

不仅人类在演化过程中有重叠现象，石器的重叠现象也屡见不鲜，让人思索。过去我在华北工作时间较多，把华北的旧石器文化划分为两个系统，这是按石器的大小与使用的不同而分类的。在广大的国土上是否还有其他的系统和类型？答案是肯定的。因为人类有分布，文化就有交流和交叉。

在河北省阳原县的小长梁发现了细小石器，其制作精良，最小的还不到 1 克重，能与欧洲 10 万年前的石器媲美。1994 年经中国科学院地球物理研究所专家用最先进的超导磁力仪测定，小长梁遗址生活的原始人距今 167 万年。这虽然为我的"细石器起源于华北"

增加了证据，但石器之小，打制技术之好，年代之久远，让人好奇它们是什么人制作出来的。

综上所述的三大问题，是 21 世纪我们古人类学和旧石器考古学面临的重大课题。你说人类起源在亚洲或非洲，那么人类起源有多长时间？不是外国人怎么说，我就怎么说，也不是一两个"权威"就能说了算数的。百家争鸣比一枝独放要好。既然这些问题是全世界学者的课题，也就应该多开展国际合作。总之，还需要我们努力去工作，特别是年轻人应多做工作。要想解决这三大问题，我们的古人类学者和旧石器考古工作者任重而道远。

1993 年 9 月 4 日是我国第七届全国运动会开幕的日子，在这前夕，我的妻子因患结肠癌于 9 月 2 日去世。8 月 26 日，在她弥留之际，我光荣地在周口店点燃了"文明之火"的火种，又把火种传递给了第十三届国际数学奥林匹克大赛金牌得主周宏同学。圣火火种在他的传递下，一站站传到了天安门广场……陪同我一起去点燃圣火火种的长子，回到她的病床前，把这消息告诉她时，她的脸上现出了一丝笑容。

享年 79 岁的她，走得没有什么遗憾。

流逝的岁月留下了什么

我是决不会白白地浪费时间的，不外出搞野外工作，就在家写一些理论性的文章，不管别人对我的观点能否接受，我都照写不误。即便通过探讨证明我的观点错了，这也对自己或对后人是大有裨益的。大地震后，我发表了下面这些文章和作品：

读书笔记 ·
为什么这样的重叠现象能够为"细石器起源于华北"的观点增加证据？

名师批注
议论——解答一个问题，并不是只听一家之言就够了，需要我们共同探讨，付出努力去证实。

读书笔记 ·
作者描写圣火传递的画面有什么妙处？为什么提到此事？

读书笔记 ·
从中可以看出作者怎样的治学态度？

《中国细石器的特征和它的传统、起源与分布》（《古脊椎动物与古人类》，16卷2期）；

《从工具和用火看早期人类对物质的认识和利用》（《自然杂志》，1卷1期）；

《"北京人"时代周口店附近一带气候》（《地层学杂志》，2卷1期）；

《周口店"北京人"之"家"》（《北京史地丛书》，北京出版社）；

《西侯度——山西更新世早期古文化遗址》（与王建合著，文物出版社）；

《中国大陆上的远古居民》（天津人民出版社）。

1980年以后我出版的文章和著作有：

EARLY MAN IN CHINA（《中国早期人类》）（外文出版社，1980年）；

《上新世地层中应有最早的人类遗骸及文化遗存》（《文物》，1982年第2期，与王建先生合作）；

《中国的旧石器时代》（《科学》，1982年第7期）；

《建议用古人类学和考古学的成果建立我国第四系的标准剖面》（《地质学报》，1982年第3期）；

《人类的黎明》（主编，上海科学技术出版社，1983年）。

1984年我与黄慰文先生合作，为外文出版社写了20多万字的《周口店发掘记》，它的英文译本为 *THE STORY OF PEKING MAN*（《"北京人"的故事》），天津科学技术出版社出版了其中文版。

1989年我病愈出院后，反倒越来越忙了。虽然我很少到研究所里的办公室去上班，但我在家里仍每天工作 6 小时以上。如有人来访，那就算是我的休息。不但如此，我还没有礼拜六和礼拜天。

人的一生是短暂的，即使每个人能工作 60 年，掐指细算也只有 21900 天，去掉工休日、节假日，再以每日工作 8 小时计算，人的一生用在工作上能有多少时间呢？

人的一世，并非在于吃喝玩乐、穿着打扮，而应该为祖国、为事业干出点成绩。所以我以工作为乐趣，把自己不知道的东西变为知道，其乐无穷。

我有青光眼和白内障，每天要戴着老花镜拿着放大镜写文章，的确很费劲，但我每写完一段或一节，思想上都会感到高兴和愉快。

进入 20 世纪 90 年代，我常为青年人写的著作作序。为青年人的著作作序，是对青年科学工作者的鼓励和支持。所以每当别人有求于我，不管认识或不认识，一般我都不拒绝。写序也很麻烦，你必须把文章都看完，看明白，才好给人家"指指点点"。

我写出的文章和著作，别人有什么反馈，这是我很关心的事。我把我能收集到的评论材料都装订起来，名为《拙著评述》。现在已有了第一册，目前我还在继续搜集，准备订第二册。那部 EARLY MAN IN CHINA 出版后，我收到了许多国家的同行的来信。信中绝大部分都是颂扬的话，对我给予了鼓励。只有一例，说著作中我不应该引用恩格斯的话，因为他不是古人类学家。

《周口店发掘记》的英译本将书名改为 THE

读书笔记
对作者的坚持，你有怎样的感悟？

名师批注
列数字——当人的一生被列成具体数字，你会发现一生真的很短，所以我们根本没有时间去浪费。

读书笔记
你有什么理想？你能够为你的理想做出怎样的贡献呢？

名师批注
议论——作者老年时，不忘鼓励支持新一代的青年们，这一份博爱之心令人感动。

读书笔记
你认为这个批评是否合理？为什么？

STORY OF PEKING MAN（《"北京人"的故事》），
日文译名为《北京猿人匆匆来去》。1985 年第 2 期的
《对外出版工作》（外文出版社）上发表了一篇《〈周
口店发掘记〉将搬上日本银幕》的简讯：

> 《周口店发掘记》（日本译名《北京猿人匆匆来
> 去》）在日本出版后，受到读者热烈欢迎，著作很快销
> 售一空。日本电视工作者同盟（东京电视系统 TBS）
> 决定根据本书拍摄电视片《周口店"北京人"匆匆来
> 去》。该片导演太原丽子一行五人于今年 2 月 11 日至
> 21 日来我国拍片，著名古人类学家、《周口店发掘记》
> 作者贾兰坡在家接受了采访。正逢新春佳节，宾主在
> 家吃了一顿饺子午宴，气氛热烈而亲切。

读书笔记 •••••••••••
从这件事中可以看
出，作者有什么性
格特点？

这本书的出版发行，我们并没有拿到多少稿费。
有的外国人把书给我寄来，叫我在书上签名再给他寄
回去。这样我反而花出去很多邮寄费。

我著的《中国古人类大发现》一书，各种报刊也
有评论。在《化石》（中国科学院古脊椎动物与古人类
研究所主办）1995 年第 3 期上，发表了作者署名为瞭
望的文章，文章题目为《〈中国古人类大发现〉一书问
世》，文中写道：

> ……贾兰坡教授在书中用通俗易懂的语言和引
> 人入胜的情节，叙述了我国不同时期古人类化石的
> 发现、发掘和研究的梗概，并按照人类文化发展的
> 序列，阐明其性质，赋予了新的内涵……该书内容丰
> 富，图文并茂……对于酷爱本门学科的读者来说，可
> 谓如鱼得水，久旱遇雨，值得一阅。

到目前为止我一共写了 456 篇文章，还有大小 20

册书。对外，我只说发表了 300 多篇（册）。我的文章及一些小册子也有很多是科普性的。我为这门科学奉献了近 70 年，我很爱这个事业，我希望后继有人，希望这门科学不断地前进和发展，所以除写一些学术论文外，在科普文章中，我也用了很多精力。

我是快 90 岁的人了，人到老了，不免总想过去的事。往事一幕一幕像电影一样在脑中放映。从 1931 年春我 22 岁进中国地质调查所当练习生算起，除了"七七事变"日本人占领北平，我失业干了三年"卉园商行"买卖外，掐头去尾，我在我的老本行上干了 60 多个年头。我热爱我的工作，对这门科学充满了深厚的感情。我更希望在我离开人世之前，能看到有更多的青年人进入到这门学科的队伍中来，使这门科学后继有人，不断地发展和壮大，年轻人能超过我们这一代，做出更大的成绩。

我中学毕业，从练习生起家，1933 年升为练习员；之后，当时的领导看我工作努力，为了培养我，叫我到北京大学地质系进修，学习普通地质学、地层学（前边没有提及过，是我回忆中漏掉了）；1935 年升为技佐；1937 年升为技士（因为日本侵华，上报后没得到正式批文，暂按调查员任用，1945 年日本投降后正式按技士职称任用。技士相当于今天的副研究员）；新中国成立后，仍任副研究员；1956 年升为研究员。我已经迈入了高层的研究领域。我没有上过大学，也没到国外留过学，我是从一个什么都不懂的小伙计，一步一步攀登上来的。我是从石头夹缝中走过来的人。

读书笔记
为什么作者对外只说发表了 300 多篇文章？

名师批注

抒情——作者热爱这个行业，也为这个行业奉献了一生，称得上是一个英雄。

名师批注

联想——作者的人生如同一条石头缝，经历了苦难、挫折，只能朝着一个方向前进。但庆幸的是，他最终走过了这条缝，成为一个成功的人。

有人说我是"土老帽"遇上了好运气，这点我承认。我是个地地道道的土老帽，没进过高等学府，也没留洋镀过金。至于"运气"，我认为就是"机遇"。我的机遇非常好。我一进地质调查所就能在一些国内外著名学者像步达生、魏敦瑞、德日进、杨钟健、裴文中等人手下工作，还遇到了像翁文灏这样的领导。我当时的地位虽然很低，但他们从来没有看不起我，他们还手把手地教我。他们为了培养我，不但叫我去北大地质系进修，还要我到协和医学院解剖科正式学习全部课程，平时对我的要求也很严格。我做得不好，他们就不客气地批评；但我工作有点成绩，他们又及时给予鼓励。

我还记得，当年德日进叫我用英文写一篇文章，我的英语基础很差，错误很多，整篇文章，他改正了三分之二，最后落名还是用我一个人的名字。我问他为什么，他笑了笑说"文章是你写的，我只不过帮你改了错句和错字，当然用你的名字"。你看，这就是一位大科学家的风范和品德。实际上，像他这样的导师，我是没资格做其学生的，我怎么能说自己不走运呢！何况我还守着近在身边的卞美年、裴文中、杨钟健这样的一些人。

就连一些技工和工人，我对他们也很敬重，我能认识一些动物化石最初就是他们指点的。吃水不忘掘井人嘛。看着挂在我家小客厅里的这些老一辈的中国地质科学的奠基人和开拓者的照片，常常勾起我对他们的怀念，尽管他们多已不在人间了。每逢遇到难题，看看照片，回想起他们在世时的音容笑貌，对我仍是一个很大的鼓舞。

俗话说，"师父领进门，修行在个人"。我自己的努力，也是我成功的关键。我不但向老师们学，也在工作之余挤出时间读书。我写下的读书笔记足足有100多万字。在实践中，我累积经验，将书本上学到的理论，反过来用于指导实践，就这样反反复复。曾当过我们科学院院长的张劲夫讲过：搞事业要"安、钻、迷"，就会干好。所谓的"安、钻、迷"就是要安下心来，能够钻进去，达到迷恋的程度。我就是做到了"安、钻、迷"。

我这个人，还有个脾气，也可以说是个性吧，我不愿意跟在大专家、大学者屁股后面跑。尽管他们亲手把我教会，把我培养出来，但对他们在学术上的观点，我也用自己的头脑过一遍，对的支持，不对的，就大胆提出自己的见解。我有我的一定之规：要叫自己的头脑围着事实转，不能叫事实围着自己的头脑转。别人画好圈你就钻，绝不会有什么大成就。但是一旦发现自己有错，就要敢于改正，以免误人、误己。越是成了名的专家，越应具备这种精神和勇气。这才算得上"维护科学的尊严"。

20世纪50年代末和60年代初，我和裴文中先生关于"北京人"是否为最原始的人的争鸣，就是最好的例子。我与裴先生的争鸣纯粹是一场学术上的争鸣，这场争鸣不但没有影响我俩之间的感情和关系，反而带动和促进了我们这门科学的发展。我对裴先生也更加尊敬了。

湖北省考古所李天元先生在郧县发现了郧县猿

名师批注

叙述——除了机遇，作者自身的努力也是他成功的关键，他努力学习知识，并且用于指导实践，踏实地实现了自己的目标。

读书笔记
你能做到作者所说的"安、钻、迷"吗？试着做一下。

名师批注

议论——在作者心中，独立思考的能力必不可少，凡事一定要在冷静思考过后再给出判断，即使错了也不要紧。

人之后，把头骨拿到我们研究所里来，叫我所帮助修理。当时整个头都还被钙质结核包裹着，只露出了一部分牙齿。我发现臼齿很大，很像南方古猿。我就说这好像是南方古猿。等到我的老朋友胡承志先生到武汉帮他们把头骨修出来以后，他对我说：不是古猿，是直立人。连李天元教授也认为是直立人的头骨。此后我也承认是直立人了，我并没坚持自己的错误看法，事实就是事实，在修出之前我没看准。但此臼齿之大，与其他直立人有很大差异，其原因与湖北省考古所合作研究的美国专家也没搞清楚。

半个多世纪以来，我在旧石器考古学、古人类学、第四纪地质学等方面，也做出了一些成绩，受到了国内外同人的好评。我应邀到过香港、台湾地区以及日本、美国、阿尔及利亚、瑞士等国家去讲学和进行学术交流，所到之处都受到了热烈的欢迎和盛情的款待，从中我看到了国外在科研上的长处，有着很多值得我们学习和借鉴的地方；我也看到了我们自己的优势。

在台湾地区的台中自然博物馆，我看到那里的科普工作做得非常好，声、光、像及电脑等高科技手段都用上了。在一个展示蚊子的展台前，模型蚊子的头放大到直径足有1米，吸血的嘴直撑地板，使人一眼就能看清它的结构和它吸血的过程。在立体剧场里，我们看到了火山爆发的演示，火山爆发时发出巨雷般的震耳声音，喷出的岩浆火花四溅，岩浆缓慢地顺山谷流下，激起的海水波涛汹涌。这种模拟逼真的景象，使人一目了然。"北京人"展厅塑造了"北京人"在洞内生活的景象，表现非常生动，根本用不着解释。另

名师批注

叙述——真正面对错误时，知错就改，以身作则，就是最好的方式。

名师批注

叙述——成长的过程其实也就是取长补短的过程，所以中国科研想要进步，在学习别人的过程中，要对自己充满信心，不能毫无主见。

读书笔记 ●‥‥‥‥‥‥

台湾地区的台中自然博物馆的科普有什么特点？请用一个词概括一下。

外还有食肉恐龙和食草恐龙的对话，不仅活泼有趣，还使人感到确实应保护自然环境，保护好我们的地球。台中自然博物馆，每天，特别是节假日，都吸引着成千上万个孩子及大人去参观。

相比之下，大陆的博物馆多是在标本前放上一张标签，就像摆地摊一样，死气沉沉，叫人感到乏味，怎能激发起青少年的兴趣呢！

1995 年 4 月我应邀到美国华盛顿参加新当选的院士签字仪式，在旧金山和华盛顿也参观了一些博物馆。给我印象最深的是美国人非常喜爱博物馆。不管是旧金山的亚洲艺术博物馆、自然科学博物馆，还是华盛顿的国家自然历史博物馆、航天博物馆等，参观的人都非常多。特别是星期天，人们很早就排起了长队，等候博物馆开门。学生也很多，一队一队的。在亚洲艺术博物馆里，有一个很大的房间，中央放着大桌子，很多小学生围在桌前写着什么，书包放在地上。我问了陪同我参观的一位工作人员才知道，美国对博物馆这块教育基地非常重视，很多博物馆都有这样的房间供学生使用。小学生参观完后，老师给他们出题，他们就围在桌前写观后感。有的学生没看清楚，还可以跑去再看，回来再写。这不都是值得我们学习和借鉴的地方吗？

当然我们也有自己的优势。我国地域辽阔，地层保存完好。越来越多的古人类化石和旧石器遗址相继发现，一个个缺环被找到。很多国外的科学家都把眼光逐渐地移向中国，他们也都想跑到中国来看看，寻找人类的祖先。既然这门科学是世界性的，那么它

名师批注

比喻——台湾地区的科普自然有趣，但是大陆的博物馆十分无聊，这就是我们可以学习借鉴的地方，要正视这一点不足。

读书笔记

你去博物馆时有没有注意过，通常是哪些人去博物馆？

读书笔记

美国博物馆的做法中有哪些值得我们学习？用自己的话总结一下。

名师批注

侧面烘托——中国的科学发现令外国科学家十分神往，足以证明中国的发展得到了认可。

就会受到各国科学家的关注。随着改革开放的不断深入，这项事业的合作，给我们带来了一片光明的前景，也更能促进我国这门学科的发展和繁荣。

1980 年，我当选为中国科学院院士；1994 年当选为美国全国科学院外籍院士；1996 年当选为第三世界科学院（现改为"发展中国家科学院"）院士。一个仅仅上过中学的人能够获得三个院士的荣誉称号，这足以使我感到欣慰。我的工作没白费，我也没有虚度年华。我做出的一点点成绩，得到了世界的承认。

"春蚕到死丝方尽"，我在有生之年，仍会在我的事业上奋斗不已，为发展我国的古人类科学、旧石器考古学奉献光和热。

话又说回来，快 90 岁的人，跑也跑不动了，还能干什么呢？ 1995 年，美国世界探险中心（探险家俱乐部）推举我做会员，我说："这个俱乐部都是探险家，有第一次航天的，有登月球的，我算什么呀！别说探险了，现在就连小板凳我都上不去了。"他们笑着说："我们都知道，你钻过山洞，钻过 300 多个山洞，钻洞也是探险。不是说你还能不能再探险，而是你为探险事业做过贡献。"

我现在眼、口、手、脚都快不听使唤了，我想奉献的光和热就是要把青年人培养成才，希望他们接好我们这一代人的班，在新世纪里挑大梁，超过我们，做出比我们更有成绩的工作。我的成绩也希望得到他们的检验。我在 1995 年 4 月访问美国时，利基基金会在旧金山为我举行欢迎会，来自旧金山的著名科学家、教授、作家、记者、华人代表有近百人。我在致

读书笔记 •················

还有哪些诗句可以形容作者为事业奉献一生的精神呢？请背诵一句。

读书笔记 •················

这句话有什么含义？请具体分析。

名师批注

心理描写——作者已经走在了自己的人生边上，但是依旧心系祖国发展，希望青少年能够承担起责任。作为青少年，又有什么借口推卸责任呢？

答谢辞时说："我虽然老了，但我还希望在有生之年为这门科学做出自己的贡献。更多的工作应靠年轻人去做。他们思想开放，更容易掌握先进技术和方法，比我们老的更强。我愿意为他们抬轿子。"

给青年人抬轿子，扶他们走上一段，是我们老一辈的责任。我也是在老一辈的教导下走过来的。对青年人要爱护，要严格，但不能打击，否则不利于他们的成长。

60多年里，我写了400多篇（部）论著，但给青少年写还是第一次。因为我不是小说家，语言修辞不很好，有些学术上的东西也怕青少年朋友不好懂。我的水平有限，也只好这样了。我是从周口店起家的，我的命运、事业与周口店紧紧连在一起，没有周口店，也就没有我的今天。青少年朋友可能不知道有我这个贾兰坡，但一定会知道周口店"北京人"遗址，这会在课本上学到。它不但被联合国教科文组织列为世界文化遗产，也多次被北京市列为青少年教育基地。在周口店"北京人"遗址里，发现古人类的材料之多，背景之全，在世界上是首屈一指的。

如何保护这个世界文化遗产，为越来越多的人所关注。这也是我的一个心愿。我在一些文章中多次呼吁，除了要保护好这个遗址处，在有条件的情况下，还应在遗址周围种上50万年前的树木和草丛，塑造出"北京人"打制石器、狩猎、采集果实和使用火的场量，逼真地再现"北京人"的生活，使参观者一进遗址大门就能感觉自己仿佛回到了50万年前。那样，"北京人"遗址会越来越受人们特别是青少年朋友们的喜爱，成为真正的教育基地。青少年对这门科学产生了

名师批注

语言描写——在作者眼中，青年人的培养非常重要，并且是他义不容辞的责任，这一份博爱之心，也为科学界的传承做了最好的榜样！

读书笔记 •·················

请用自己的话简要说一说作者与周口店紧密连在一起的命运。

浓厚的兴趣，就会有更多的青年加入科研队伍中来，这门科学就会有更加突出的发展，再现新的辉煌。

我在第七届全运会将亲手点燃的"文明之火"的火种传给了青年，他们又一个个传递下去。"文明之火"与"进步之火"的火种将燃起熊熊的科技之光，照亮祖国这块神州大地。

我有机会写一下自己，这只是个以讲故事的方式写下的自述，想到哪里就写到哪里，因为不是什么传记，就不必担心什么，同时还能澄清一些事实。例如，在我的一份材料中，不知谁为我填写了简历，不但写得词句不通顺，更可气的是说我在伪地质调查所工作过两年。"伪"当然是指日寇侵华之伪。我从来没在伪政府部门干过事。知道我的人目前还大有人在，他们都可证实，不然待和我一起工作过的人不在世了，这岂不是又成了无头冤案？

想到过去，就会想到父母对我的养育之恩，想到今天能有一点所得，就会想起杨钟健、裴文中、德日进、魏敦瑞等人对我的教育和鼓励，就会想到他们对我的严格要求，当然这些成就也和一些老中青朋友的无私帮助分不开，我向这些人深深地鞠上一躬。

名师精华赏析

贾兰坡先生经历了战乱，后又遭遇数次大难而不死，人生经历也算得上波澜不断，但是他的学术之路，却似乎总是一帆风顺。这不是偶然的运气，也不是他天资过人，他不过是一个普通人。在那样的年代里，他能够坚持阅读，丰富学识，抓住一切机会学习，这一份对知识的渴求，正是他成功的秘诀。如今他将这一接力棒传递给我们这一代人，我们也需打开胸怀，拥抱美好的未来！

积累与运用

好词

作揖　浏览　就绪　曙光　风范　徘徊　针砭　混淆　乐呵呵
一视同仁　无忧无虑　心惊胆战　所剩无几　倍加赞赏
初来乍到　神机妙算　倾巢而出　打草惊蛇　力排众议
笑容可掬　汗马功劳　言传身教　汗流浃背　音容笑貌

佳句

正像杨钟健先生对我说的那样："搞学问就像滚雪球，越滚越大。"我就是这么做的，所以我对它的体会最深。

有人死后让人感到悲痛和怀念，也有人死后受到唾弃和谩骂。为什么？用一把尺子衡量，那就是在他活着的时候，是与人为善还是与人为恶；在工作上是勤勤恳恳有所成就还是碌碌无为虚度年华。

我想人的头脑要围着事实转，不能叫事实围着自己的头脑转。对的就要坚持，不管你是外国的权威，还是中国的权威。错了就要改，不改则误人误己。

人的"生"与"死"就像一层窗户纸，一捅就破，死是多么容易呀。

不问，不学，不亲眼看见，当然就学不到这么多知识，再遇到相似的东西也无从解释。

人的一世，并非在于吃喝玩乐、穿着打扮，而应该为祖国、为事业干出点成绩。

美文仿写

本章中，作者详细介绍了他的一生，以丰富的细节描写展现了自己努力汲取知识的画面，让人心生感触。而在我们的生活中，身边肯定也有这样努力钻研学习的榜样，请你仿照下面的文段，选择其中一个画面进行描写。

后来还真打到了一只大野狗，工人们七手八脚地扒皮、去内脏。我在一边不住地叫喊："不要弄坏了狗骨头。"一大锅香味十足的狗肉炖熟了，大家争先恐后，拌着大蒜和辣椒大吃起来。看着工人们吃得那样香，我在一旁仍不住地大声叮嘱："不许啃坏了我要的骨头！"笑得大家肚子都疼了。

_____

_____

_____

知识大宝藏

贾兰坡先生沉迷阅读书籍，并且努力汲取知识，才有了最终的成功。这样的一份成功，让我们看到了阅读的重要性！在生活中，相信小伙伴们都阅读过不少书籍，其中肯定也有自己最喜欢的几本，想要与其他伙伴分享。那么就请各位小伙伴分别从以下类别中挑选出你喜欢的一本书，推荐给其他同学吧！

例：科普——我推荐贾兰坡先生的《人类起源的演化过程》，在这本书中，我们可以学到关于人类起源的丰富知识，也能从贾兰坡先生身上学到终身学习的精神，这对现代青少年是非常重要的，我们都要向他学习。所以我推荐这本书。

1. 小说：

2. 散文：

3. 诗歌：

第二章　真题演练

一、填空题

1.1929 年 12 月 2 日，_____先生发现了第一个"北京人"头盖骨。

2. 为了更好地研究动物骨骼，贾兰坡先生亲手装起了一具完整的_____。

3. 杨钟健说的要"四条腿走路"。这四条腿就是"_____""_____""_____"和"地层学"。

4. 1935 年，贾兰坡先生晋升为_____。

5. 经过绝对年代测定，公王岭化石层距今为_____万年，陈家窝村化石层只有_____万年。

6. 80 岁的生日，贾兰坡先生是在_____度过的。

7. 1980 年，贾兰坡先生当选为_____。

二、简答题

1. 贾兰坡先生平凡但又不平凡的一生值得我们铭记，从他的人生故事中，你有没有获得一些感悟？请简要说一说。

2. 对于青少年的教育，贾兰坡先生也有许多建议，如加强对博物馆的建设，增强青少年对于这一学科的兴趣等，对此你有什么具体的建议吗？

参考答案

一、填空题

1. 裴文中

2. 狗骨架

3. 古人类学；古哺乳动物学；旧石器考古学

4. 技佐

5. 110；60

6. 中日医院

7. 中国科学院院士

二、简答题

1. 结合作者的经历简要谈谈即可。如：贾兰坡先生一生沉迷阅读，最终成为院士，我们也要加强阅读，丰富自己的知识，实现自己的梦想。

2. 结合实际言之有理即可。如：政府部门可以加强博物馆的建设，尤其是在一些贫困地区，可实行免费参观的政策。

核心考点专练

爷爷的爷爷从哪里来

核心考点专练

 片段阅读

片段 1

最使人惊奇的是山东省微山县出土的东汉时期的"鱼、猿、人"的石刻画。原石横长 1.86 米，纵高 0.85 米（现藏于曲阜孔庙），作者不知是谁。在原石的左半部，从右向左并排着鱼、猿、人的刻像，让人看了之后，很自然地会想到"从鱼到人"的进化过程。

18 世纪的法国博物学家乔治·布封虽然也曾指出生命首先诞生于海洋，以后才发展到了陆地——生物在环境条件的影响下会发生变化，器官在不同的使用程度上也会发生变化的科学论证，但是并没有指出从鱼到人的演化关系。

指出从鱼到人的演化关系并发表名著的是美国古脊椎动物学家威廉·格雷戈里。1929 年他发表的《从鱼到人》，把人的面貌和构造与猿、猴等哺乳类、爬行类、两栖类动物相比较，把人的面形一直追溯到鱼类。在当时，由于获得的材料有限，在演化过程中缺少的环节太多，有人嫌他的说法不充分，甚至指责他的某些看法是错误的。把从鱼演化到人的一枝一节都串联起来，谈何容易，你知道演化经过了多少时间吗？鱼类的出现，从地质时代的泥盆纪起，到现在已有3.7亿年了，这是多么漫长的时间啊！

片段2

1987年，联合国教科文组织将周口店"北京人"遗址列入《世界遗产名录》。1992年，北京市政府把周口店"北京人"遗址列为北京青少年教育基地。同年，它又被评为十大旅游景点之一。1993年，在第七届全运会上，我亲手在这里点燃了"文明之火"的火种，它与"进步之火"在天安门广场汇合，象征着中华民族的文明与进步日益腾飞。

到1999年的12月2日，"北京人"第一个头盖骨的发现已经70周年了。自从敲开了"北京人"之家的大门后，"北京人"遗址有了它非常辉煌的时期，而如今由于经费不足，无力保护和修缮，使第1地点、山顶洞、第4地点、第15地点都受到了不同程度的损坏。有人在著述中很形象地比喻说："它就像人们迁入了现代化的公寓后，无意再光顾昔日的竹篱茅舍一样受人冷落。"

有人在《光明日报》上撰写文章说，周口店遗址以厚厚的尘埃和萧条陈旧的衰落之态呈现于世人面前。1988年，联合国教科文组织在中国考察了几处文化遗产，指出周口店遗址比起故宫、长城、秦俑、敦煌，是目前保护最差、受损最严重的一处。

随着社会的进步，科学的发展，现代文明越来越被人们接受。我们古老的祖先——"北京人"早在50万年前，就学会了打制各种类型的石器，特别是学会了用火，并能控制火。他们也在创造文明。我们绝不应该忘记。

片段3

1932年春，各位领导经过长时间的磋商，决定挖掘鸽子堂以南到洞壁以东的部分，我们称之为东山坡。此处外露的地层多为角砾岩，很不容易挖掘。就在这一年，我们改进了发掘方法，从过去不规则地到处漫挖，改为考古式的发掘。我们先在南洞壁上用钢钎打上等距离的孔，揳上木橛，再往木橛上钉上铁钉，挂上线坠垂直于地面，然后根据指南针，在南北方向拉上等距离的白线绳，用石灰水沿线绳画线。东西方向以此类推，打出横线，分出方格。横向按A、B、C、D……编号，纵向按1、2、3、4……编号。这样就可以知道发现的东西在哪个位置，再按比例绘出平面图。

分好格后，我们又在南北向先开出深沟，查看埋藏情况，然后由一名技工带着一个工人在规定的格内挖掘。另外，每个方格内挖出来的土石有专人清理，分别放在各自的地点，经过筛选后再处理掉，怕的是标本有所遗失。

这一革新举措，给以后的研究工作带来了极大的好处，避免了重要材料的遗失。即使在清理土石中找到材料，也能知道是哪个地点、哪个层位中的。

 大宝库

1. 对待科学的态度，我认为人的头脑要围着事实转，不能让事实围着自己的头脑转。对的就要坚持，不管你面对的是外国的权威，还是中国的权威。错了就要坚决改，不改则会误人、误己。

2. 杨钟健看我每天忙到晚，没有一点怨言，就对我说："搞学问就像滚雪球，越滚越大。"我一直铭记在心。只是后来我根据自己多年的体会，又在后面加上了一句"不滚就化"。

3. 有人死后让人感到悲痛和怀念，也有人死后受到唾弃和谩骂。为什么？用一把尺子衡量，那就是在他活着的时候，是与人为善还是与人为恶；在工作上是勤勤恳恳有所成就还是碌碌无为虚度年华。

4. 我真希望在房山县（今北京房山区）西门外立一座石碑，刻上被日本侵略者杀害的死难者的名字，以示对他们的永久怀念，教育子孙后代不能忘却这段历史。

5. 观察任何事物，都不能以其中的一种现象来掩盖全貌。

6. 现在再次到那里，情况完全不同了，一色的柏油路面，路的两侧是高大的杨树，水库中的水非常清亮，微波荡起，泛起片片粼光，真是远非昔日可比。

7. 研究古人类学、旧石器考古学及古生物学和研究地质学一样，如果不亲自去跑、去看、去找，只仰仗向别人要点材料做研究，是永远也不会成功的。

8. 人的一世，并非在于吃喝玩乐、穿着打扮，而应该为祖国、为事业干出点成绩。

一小时刷完这些题

一、作品文学常识

1. 下列说法中有误的一项是（　　）

A.《红星照耀中国》又名《西行漫记》，是美国记者斯诺在延安生活后，向世界人民客观介绍中国共产党和红军真实情况的著作，使西方人全面了解到中国工农红军长征这一举世无双的军事壮举。

B.“这是一个高大身材，长头发，眼球白多黑少的人，看人总像在渺视。”《朝花夕拾》中所描写的这个人是范爱农。

C.《西游记》中齐天大圣孙悟空被太上老君投入八卦炉中，却炼成了“火眼金睛”；大闹天宫，表现了孙悟空敢于反抗的精神。

D.《爷爷的爷爷从哪里来》是我国著名的旧石器学家、古人类学家贾兰坡先生的一本有关探索人类起源的著作。

2. 下列表述中不正确的一项是（　　）

A.《爷爷的爷爷从哪里来》中，贾兰坡先生叙述了他的求学之路。

B.罗曼·罗兰的代表作《简·爱》，通过第一人称叙述了一位贫苦孤女简·爱为寻求人格独立、爱情和尊严而挣扎奋斗的故事。

C."他是一个传奇式的人物。他个子清瘦，中等身材，骨骼小而结实，尽管胡子又长又黑，外表上仍不脱孩子气。又大又深的眼睛富于热情。"《红星照耀中国》中所描绘的这个人是毛泽东。

D.《朝花夕拾》既有温馨回忆，又有理性批判，如《五猖会》中关于家庭教育的问题，至今仍引人深思。

3.下列表述与原著不相符的一项是（　　）

A.《昆虫记》是一部引人入胜的书，是德国昆虫学家法布尔的科学巨著，被誉为"昆虫的史诗"。

B.《格列佛游记》中，飞岛国科学院的科学家从黄瓜里提取阳光的实验，体现了作者对英国科学界创新意识的赞美。

C."他灰色的小眼睛并不明亮，但想来也许应当说是非常锐利的。他的面相既严厉而又温厚。"这是《简·爱》笔下的劳埃德先生。

D.《爷爷的爷爷从哪里来》中，贾兰坡先生在人生看不到前路的时候埋头苦学，一年多的刻苦学习为他打下了坚实的基础，最终以优异的成绩考上了新生代研究室的练习生。

4.下列表述中有误的一项是（　　）

A."身躯凛凛，相貌堂堂。一双眼光射寒星，两弯眉浑如刷漆。胸脯横阔，有万夫难敌之威风；话语轩昂，吐千丈凌云之志气……如同天上降魔王，真是人间太岁神。"宋江在横海郡遇到的这个英雄是武松。

B.《水浒传》记述了梁山好汉们从起义到兴盛再到失败的全过程。塑造了一百零八位好汉形象，这些人大都形象鲜明，给人留下深刻印象，其中尤以林冲、鲁智深、武松、张飞等人最具神采。

C.《水浒传》中林冲被太尉高俅陷害，误入白虎堂，刺配沧州的情节，可见他委曲求全、妥协忍让的性格。

D.《爷爷的爷爷从哪里来》中可以看到，为了保存所发现化石的完整性，发掘人员每一次的挖掘工作都十分细致入微。

二、作品人物形象

1.阅读文段，回答问题。

练习生的地位在研究部门里是最低的，但仍属"先生"行列，能和各级领导同桌吃饭。除了这些，受苦受累的活都是我的事：买发掘用的物品；与来访的学者到各处看地质；他们采下的标本，装在背包里，叫我背着；我还要和工人们一起挖掘化石。

对于挖掘，我最有兴趣。开始时我什么都不懂，挖出了化石就向工人请教。他们会告诉我：这是羊的，这是猪的，那块是鹿的。认识的化石越多，我就越觉得发掘工作有意思。

我跟着专家学者在山上到处跑，查看地质，累是累，但时间一长，从他们那里也学到了很多地质方面的知识。

特别是卞美年，他一有闲暇，就带着我在龙骨山周围看地质，不但给我讲解地质构造和地层，还教我如何绘制剖面图。他待我非常友好，我对他也非常尊敬，我们成了挚友。现在他即使在美国定居，我们也还经常通信。我到美国访问，第一件事就是去看望他，我总是把他看作启蒙老师。裴文中对我和卞美年不懂的地方，也耐心赐教，从不拿架子。我不但敬佩他，也越来越喜欢向他请教。我从他那里也学到了很多的东西。

（1）从这段文字中可以看出，在挖掘工作中，_____
_____给了贾兰坡先生非常大的鼓励。

（2）请结合文段内容，总结一下贾兰坡先生能够成功的原因。

2. 阅读文段，回答问题。

1933 年年初的一天，我在西四兵马司的办公室整理标本。忽然，杨钟健把我叫去，给了我一个大纸盒，里面装的都是哺乳动物的牙齿，他要我鉴定后，再写好标签给他。

我抱着纸盒回到自己的办公桌前。我认为这个工作很容易，因为这些牙齿中有许多是来自周口店第 1 地点（即"北京人"化石产地）。其他地点的牙齿鉴定虽然有些困难，但也能鉴定出个大概。

两天后，我把鉴定好的牙齿交给了杨先生，他一看就火了："这叫什么东西，我要的不是中文标签，是拉丁文的。重新来，写好了再给我！"好嘛！给我来个大窝脖儿。我做了个鬼脸，赶忙抱着纸盒跑回了自己的办公室。

经过两年的挖掘锻炼，我从书本上学到了不少。我经常帮助杨、裴二位先生打英文稿件，稿件中一些拉丁文名称，我不但做了记录，也背熟了很多。北京人产地发现的材料，我都一一摸过，对它们的颜色、分量也大致了解，只是材料编号很乱，有些编号还需再搞清楚。这回我更加细心，花了三天时间，重新鉴定牙齿，并一一打出拉丁文名称和编号。当我再次把大纸盒交到杨先生手里时，他仔细检查，然后高兴地笑了。

（1）为什么杨钟健先生要突然考查"我"？

（2）从中你可以看出杨钟健先生是一个怎样的人？

三、作品主要内容

1.阅读选段，回答问题。

太古代，地球形成之后，很长一段时间内是没有生命的，生命还处在化学进化阶段，这个年代距离我们今天太遥远了。

元古代，大约 17 亿年前，地壳发生了一次大的变动，生物界出现了一次大的飞跃，生命从化学进化阶段一跃而进入了生物进化阶段，有生命的物质开始出现。元古代又分成前震旦纪和震旦纪。元古代的早期叫作前震旦纪，晚期大约开始于 8 亿年前，结束于 5.7 亿年前，叫作震旦纪。

古生代，大约在 5.7 亿年前，地球的环境又发生了一次大的变动，促使生物界出现了一次空前的大飞跃，大量的古代生物在地球上开始出现。古生代分成了六个纪：寒武纪，始于 5.7 亿年前，结束于 5 亿年前；奥陶纪，始于 5 亿年前，结束于 4.4 亿年前；志留纪，始于 4.4 亿年前，结束于 4 亿年前；泥盆纪，始于 4 亿年前，结束于 3.5 亿年前；石炭纪，始于 3.5 亿年前，结束于 2.85 亿年前；二叠纪，始于 2.85 亿年前，结束于 2.3 亿年前。

（1）根据地史学的研究和国际上的统一规定，整个地球的历史分为_____个大的阶段。

（2）除了上述几个阶段以外，还有_____代、_____代。

2. 阅读选段，回答问题。

1995 年 4 月我应邀到美国华盛顿参加新当选的院士签字仪式，在旧金山和华盛顿也参观了一些博物馆。给我印象最深的是美国人非常喜爱博物馆。不管是旧金山的亚洲艺术博物馆、自然科学博物馆，还是华盛顿的国家自然历史博物馆、航天博物馆等，参观的人都非常多。特别是星期天，人们很早就排起了长队，等候博物馆开门。学生也很多，一队一队的。在亚洲艺术博物馆里，有一个很大的房间，中央放着大桌子，很多小学生围在桌前写着什么，书包放在地上。我问了陪同我参观的一位工作人员才知道，美国对博物馆这块教育基地非常重视，很多博物馆都有这样的房间供学生使用。小学生参观完后，老师给他们出题，他们就围在桌前写观后感。有的学生没看清楚，还可以跑去再看，回来再写。这不都是值得我们学习和借鉴的地方吗？

（1）这是_____先生在美国时的所见所闻。

（2）文段画线句子是一个_____句，请将其改为陈述句。

四、作品阅读鉴赏

1.阅读文段，完成赏析。

半夜，卞美年把我推醒。"你听这是什么声音？好像是同车而来、住在厢房的两位妇女在哭。看看去。"卞美年拉起我就走。敲开门一问，才知道她们的路费用光了，前不能行，后不能退，所以急得哭了起来，年老的妇女指着年轻的对我们说："这是我儿媳，要去贵阳找丈夫。"我俩一听，认为这没什么大不了，忙劝道："既然大家有缘同车而行，哪有不帮助的道理。"我回房取了 15 块银圆，交给老婆婆，又说："不管如何，我们一定把你们送到家，钱呢，不必挂在心上，有就还，没有就算了。"她们说了许多感谢的话，我俩也回屋继续睡觉去了。

汽车开到了贵阳东关，两位妇女下了车，她们要我们等一等。只见老婆婆跑进了一条小巷，那位年轻的女子站在车前。我们不知怎么回事，正在疑惑，从小巷中出来一个青年，后面还跟着一群人。他们走到车前，一位年长的男人叫那个青年把钱如数还给了我们，还拉着我们去他家做客。我们解释说，要去云南有急事，不能多耽搁。磨了半天嘴皮子，他们才放我们走。车子开出很远，他们还在向我们挥手。

（1）从这件事中可以看出作者一行人具有＿＿＿＿的品质。

（2）请找出其中的一处动作描写，对其表达效果进行赏析。

2. 阅读文段，完成练习题。

见我醒来，民警也来了解情况，问我是否车开得太快。我说："不快，是路滑造成的，因为出事前刚下过雨。"幸而司机很机智，擦着树的间隙而过，否则非车毁人亡不可。民警虽对我的话半信半疑，但由于我语气肯定，一口咬定是路面造成的事故，他也只好把证件退还给司机。司机一家人都指望着他挣钱生活，我岂能不为他说点好话呢？

回到北京后，司机一家人还专程来北京看望我，感谢我的"救命之恩"。我对他说："有'救命之恩'的是你不是我，你要是开车撞到树上，咱俩不就都玩完了吗？"

（1）为什么作者没有说出真相？请找出原文语句，并且画上"_____"线。

（2）请任选角度赏析画"_____"的句子。

五、综合训练

人类起源至今仍是一个未解之谜，人们探寻人类起源的热情也从未减弱。在这个月的社区活动中有一项"探索人类起源之谜"的活动，想请你来策划一下活动内容，请接受这次挑战吧！

1.请结合活动主题，完成活动的宣传标语。

2.这次来参加活动的人非常多，需要你参照示例来设计两个特色活动。

示例："探寻人类起源"读书分享会

3.活动开始之前，你作为主持人，需要进行致辞，你会说些什么呢？

参考答案

一、作品文学常识

1.A 2.C 3.B 4.B

二、作品人物形象

1.（1）卞美年先生

（2）贾兰坡先生向工人们虚心学习，从不骄傲自满；学习过程亲历亲为，从不喊苦；得到了卞美年等朋友的帮助。

2.（1）杨钟健先生想要看看"我"的能力，让"我"的能力能够被发现。

（2）结合文段内容，言之有理即可。如：杨钟健先生是一个非常乐于提携后辈的人，给年轻人机会，这一点也深刻地影响了作者。

三、作品主要内容

1.（1）五

（2）中生、新生

2.（1）贾兰坡

（2）反问；这都是值得我们学习和借鉴的地方。

四、作品阅读鉴赏

1.（1）乐于助人

（2）例："车子开出很远，他们还在向我们挥手。"
赏析：学者们的善良并没有被辜负，两位妇女也懂得感恩，
对学者们的感谢无以言表。

2.（1）司机一家人都指望着他挣钱生活，我岂能不为
他说点好话呢？

（2）运用了反问修辞，即使自己面临生命危险，作
者也选择了理解和原谅，这一份宽容实在难得，这一份善
良也值得我们赞扬！

五、综合训练

1.（前后两句，对仗且符合主题即可。）例：未知起源，
共探谜底。

2.（要有主题和形式。）例："探寻人类起源"创意
想象大赛；"探寻人类起源"绘画作品展。

3.（要有称呼、自我介绍，并且说明活动意义，最后
宣布活动即可。）例：大家好，我是 XXX。感谢大家百忙
之中来参加"探寻人类起源"的主题活动，这个活动将帮
助大家更加深入地认识人类，探索起源，相信大家一定能
够有所收获。现在我宣布，"探寻人类起源"活动正式开始！

上架建议：文学 / 畅销

ISBN 978-7-5315-8878-8

定价：24.80 元